Dala'r Llanw

Jon Gower

Gomer

I Euryn Ogwen Williams,
am dy ysbrydoliaeth gyson
a'th gyfeillgarwch hael

Cyhoeddwyd yn 2009 gan
Wasg Gomer, Llandysul, Ceredigion SA44 4JL
www.gomer.co.uk

ISBN 978 1 84851 066 1

Dymuna'r cyhoeddwyr gydnabod cymorth
Adrannau Cyngor Llyfrau Cymru.

Argraffwyd a rhwymwyd yng Nghymru gan
Wasg Gomer, Llandysul, Ceredigion SA44 4JL

'Mae pob stori yn stori serch . . .'
Robert McLiam Wilson

Am Awyr Iach, Ewch Yma . . .

Gwrandewch! Fel miliynau o gusanau bach ar ei hymylon mwdlyd, tywodlyd a graeanog mae'r afon enfawr yn cwrdd â'r tir ac yn ei garu ac yn canu iddo. Symffoni berseiniol. Cân yr afon. *Cancion del rio.*

Mae ei sŵn hi heno fel jagiwar yn canu grwndi yng nghrombil y jyngl – yn mwmian â phleser, a'i wên ddieflig yn rhoi sglein-golau-lleuad i'r dannedd hurt o bwerus 'na wrth i bawennau'r nos anwesu ei ffwr du. Dyma ymgnawdoliad o ddüwch, yn gwisgo mantell o dywyllwch.

Ond mae 'na bethau eraill ar yr awel hefyd – yr awel fwyn sy'n cario persawr jacaranda gan hudo gwyfynod o'u gwlâu.

O wrando'n astud gallwch glywed sŵn plant yn llefain, lawr yn La Boca lle mae'r *frigorificos* yn prosesu tunelli di-ri o gig, mwy na Fray Bentos hyd yn oed. Yma, lle mae'r *barrios* tlawd yn llawn pob math o ddioddefaint dynol, yn y rhannau o'r ddinas lle mae hyd yn oed cardbord a charpiau yn bethau prin a bywyd yn galed a didostur. 'Sdim rhyfedd eu bod nhw'n llefain yn y nos.

Does dim bwyd 'da'r plant yma, na theganau, na rhieni ambell waith, ac maen nhw'n llefain i geisio anghofio'u newyn, nid i gwyno yn ei gylch. Maen nhw'n byw ar sbarion a'u bywydau yn fyr. Ac mae 'na lefydd gwaeth tu hwnt i'r rhain: La Isla Maciel gyda'i thlodi heriol, Pasatiempo sydd yn beryg bywyd a Dock Sur sy'n waeth nag y gallwch ei ddychmygu. Ie, gwaeth na hynny hyd yn oed. Ewch â'ch byddin eich hun 'da chi.

Arhoswn, fel y twristiaid llawn arswyd sy'n ymweld yn nerfus â'r lle, yn La Boca. Draw fan'na mae stadiwm Boca Juniors, y stadiwm bêl-droed mwya emosiynol yn y byd o bosib, lle mae'r ffans yn gweld y chwaraewyr mwya talentog nid fel duwiau ond *yn* dduwiau. Dynion i'w haddoli gyda gweddi a chrocbris tocyn.

Ac i lawr wrth yr afon mae'r gymuned ei hun, ar ymyl dŵr sy'n llwydfrown 'da budreddi. Ie, La Boca. Y Geg. Ble maen nhw'n gwerthu cnawd. Dyma archfarchnad chwant, yn El Farol Colorado, y Llusern Goch, Zoo ac Action ac yn y puteindai llai adnabyddus, *los quilombos,* sydd yn frith ar hyd y stryd. Mae'r ardal yn enwog am y menywod, sy'n sefyll ac yn smocio yn eu colur a'u gwisgoedd ffansi yn y clybiau hwyr a'r strydoedd gwlyb, y gwestai-hanner-awr ac allan yng nghysgodion y nos. *Rôl yp, rôl yp, dewch am eich cnawd!*

Yn nyddiau prysura'r porthladd, pan oedd 'na long yn cyrraedd bob hanner awr – gan gario glo i fewn a lledr allan, orennau mas a mewnfudwyr lu i dalu tollau, yn yr Aduana enfawr – roedd ambell butain yn La Boca yn cael rhyw gyda hyd at saith deg o ddynion bob dydd, yn caru morwyr hallt. Estynnai ciw o forwyr ar hyd y wal at bob un ohonynt, cwsmeriaid di-hid y menywod Iddewig.

Mae'n ffaith mai Iddewon oedd y rhan fwya o'r trueiniaid ac ar un adeg roedd clwb ffug o bimpiaid, y Zwi Migdal, oedd yn smalio bod yn rabïaid ac yn cwrdd

8

mewn synagog ffals ar Calle Córdoba, gan reoli 30,000 o fen'wod. Allech chi ddim 'neud y stwff 'ma lan, allech chi? Doedd dim dechrau na diwedd i'w d'wrnod gwaith, y blas sur, y croen ar dân.

Islais yr afon yw sŵn tympanau injans disel y llongau cargo enfawr yn cyrraedd y porthladd wedi siwrne hir drwy dymestl wyllt De'r Iwerydd, lle mae hyd yn oed adar y môr, yr albatros cefnddu a'r aderyn drycin, y sgiwen a'r pedryn, yn cael eu gyrru'n wallgo gan y gwynt. Pistonau'n troi yn y crombil haearn – thrymp, thrymp, thrymp – wrth i'r tygwyr yn eu cychod bach eu tynnu tua'r cei.

A gallwch glywed sgyrsiau rhyfedd, geiriau toredig – brawddegau ar chwâl, cymalau rhwyg – wrth wrando'n slei ar freuddwydion pobl. Yn y ddinas hon does 'na ddim cyfrinachau ond i chi wybod *yn union* sut i wrando.

Felly, gallwch wrando ar hunllefau'r dinasyddion, eu hofnau a'u gobeithion wrth i gân yr afon ledaenu ar draws yr arfordir hir, ochrau caled a meddal yr afon sy'n rhoi ei siâp i'r rhan yma o'r ddaear ac i gymeriad y bobl sy'n byw yma. Yn wir, *porteños* maen nhw'n eu galw nhw – pobl y porthladd – ac mae 'na ddrws agored a chroeso twymgalon, digwestiwn i bawb sy'n hel ei bac i'r fan hon. Lle mae'r gwynt yn chwythu'n braf – y Pampero cryf yn syth o'r pampas, a'r Sudestada, fel chwip o'r de. A'r afon, wastad, yn symud dan ganu.

Clustfeiniwch, da chi! Ar Avenida Quintana mae 'na ddyn tew sy'n breuddwydio ei fod yn bwrw'r bêl i'r rhwyd gyda mwy o *panache* na Maradona, ac mae'r freuddwyd mor fyw a phwerus nes ei fod yn anadlu fel tase fe wedi bod yn rhedeg hyd yn oed yn ei gwsg. Mewn fflat uwchben Café Ideal ar Suipacha mae 'na hen wraig sy'n cael hunllefau am ladd ei gŵr, ac yn gwneud hynny yn ei breuddwyd yn union fel y lladdodd hi e go iawn ddeugain mlynedd yn ôl: drwy ei fwrw e'n galed, unwaith, gyda ffrimpan ac yna'i dorri lan yn ddarnau bach a'i fwydo e i'r anifeiliaid yn y syrcas deithiol oedd wedi dod i'r Plaza Nacional. Yr un freuddwyd gafodd hi bob nos yn y carchar, ar wahân i un noson ar ôl iddi yfed y cwrw uffernol hwnnw allan o bilion ffrwythau roedden nhw'n ei fragu ar y wing, pan welodd ei hun, am unwaith, yn coginio'r cig. Yn ffrio'i gŵr yn y ffrimpan.

Y ddinas yn breuddwydio – yn prosesu'r hyn a fu a phroffwydo'r hyn sydd i ddod. Ac, wrth gwrs, mae bechgyn ifainc yn breuddwydio am eu hathrawesau'n noethlymun, a'r cleifion yn eu gweld eu hunain yn dawnsio *merengue;* breuddwydion abswrd yn llenwi penglogau pobl sy'n gweithio fel cyfrifyddion ac offeiriaid. Hyn oll a mwy wrth i drydan symud yn gerrynt gosgeiddig drwy gelloedd yr ymennydd, wrth i'r ddinas ddelio 'da'r nos, ei hofnau a'i phosibiliadau.

Heno mae'r Rio de la Plata yn llifo'n araf, yn freuddwydiol o araf. Hon yw cynhaliaeth y ddinas, yr afon yma sy'n symud yn urddasol ac yn bwydo'r pridd gyda mwynau, yn cynnal y pysgod, yn cynnig dihangfa i blant rhag gwres yr haf. Yn urddasol fel tango, wrth gwrs, beth arall ond tango . . . Clywch dincian yr allweddellau, y bas dwbl yn strymian. Y geiriau ar y gwynt.

Asi te quiero, dulce vida de mi vida
Asi te siento, sólo mio, siempre mia . . .

A'r hen ŵr a'i wraig, Horacio a Flavia, yn dawnsio i'r gân yma yn eu fflat llawn llwch; eu coesau, er yn denau, yn gryf fel *primo balerinas*, eu pennau'n uchel fel aelodau o deulu urddasol o Andalusia, brenin a brenhines y ddawns, a thristwch fel dydd barn y tango yn rhan o bob symudiad balch wrth i'r hen gramoffon ddod â llais Gardel i gadw cwmni iddynt. Hwn oedd y tenor tyner fu farw'n ifanc, er y bydd ei lais byw ar record ac ar MP3 tra pery'r Andes, ac efallai ar ôl i'r rheini chwalu'n ddwst! Maen nhw'n dweud ei bod yn amhosib deall tristwch y ddinas hon heb ddeall y gwacter a'r boen sydd wrth wraidd tôn pob tango. A Gardel yw'r gorau am ryddhau deigryn – bob tro. Y dyn yn ddi-ffael a hudodd Hollywood a gadael cyfandir cyfan yn llefain wrth glywed am ei farw. O, Gardel! Diolch am adael dy lais ar ôl.

*

Yng ngolau dydd bydd y mwd ar ochr yr afon yn edrych fel petai cawr o gigydd newydd roi cyllell drwy afu ffres, a'r crehyrod gwynion yn fflachio yn yr haul fel petai neges gudd yn semaffor eu plu. Draw tua'r gogledd gellir gweld gwyrddni Uruguay fel llinell olosg dywyll dan awyr sy'n addo glaw dychrynllyd. Ambell fflach o fellt nerfus! Y tirlun fel eira yn y golau sydyn.

Ond heno dyw afon Plata yn ddim byd mwy na sglein dan y lloer, ac ambell 'blip!' wrth i bysgodyn godi'n

dawel i sugno cleren. A symffoni o frogaod bach yn codi
sŵn yn y coed. Nhw yw corws y nos, côr o – faint? –
hanner miliwn neu fwy o leisiau'n cydganu salm gryg i'r
nos wrth chwilio am gymar.

Malwen o afon, ac, fel cymaint o afonydd, mae 'na
ddinas wedi codi wrth ei cheg. Buenos Aires, lle mae
awyr iach yn brin a smog ceir yn flanced. Boi, mae hi'n
ddinas ffâb – o'r adeiladwaith urddasol sy'n gofnod o'r
cyfnod ysblennydd a fu, i'r tyrau annynol a gododd fel
shrwmps ym mhobman o'r saithdegau ymlaen. Nid ei
bensaernïaeth sy'n rhoi cymeriad i'r lle. Mae'r *porteños*
yn forgrug prysurach na hyd yn oed y morgrug sy'n
llafurio yn y gwres yn São Paulo. Nhw sy'n creu'r
cymeriad, yr hunan-barch anhygoel.

Ond rhaid i hyd yn oed rywle mor gynhenid brysur
gael hoe – rywbryd tua dau yn y bore bach, er bod rhai
pobl yn dal i weithio. Y dynion yn y popty enfawr – sy'n
edrych fel ysbrydion dan yr haen o fflŵr ac sy'n dioddef
o glefydau diwydiannol fyddai'n ddoniol petaen nhw
ddim mor andwyol. Ysgyfaint bara melyn. Salwch burum
(sy'n medru clirio dyn oddi ar restr y gweithwyr a rhestr
y byw mewn chwe diwrnod neu lai, o eiliad cofnodi'r
pesychiad cyntaf 'da'r smotiau gwaed).

Mae'r rhai sy'n gwasanaethu yn y gorsafoedd petrol
yn darllen *novelas* tsiep ac yn gofyn iddynt eu hunain ai
heno yw'r noson pan fydd rhywun yn dod i ofyn am
arian tu ôl i faril gwn? Wythnos yn ôl cawsai beirniad
llên ei ladd yn un o'r mannau petrol ar Avenida
Corrientes am awgrymu beth oedd o'i le ar y ffordd yr
oedd y lladron yn gwneud eu gwaith. Ei eiriau olaf oll yn

y byd hwn oedd 'Pam ydych chi'n siarad fel pobl yn parodïo hen ffilmiau B, yn hytrach na chreu eich geiriau eich hunain, meddiannu eich geiriau chi eich hunain?' Trodd un o'r lladron, oedd yn gwisgo mwgwd rwber George W. Bush, tuag ato'n urddasol o araf gan godi ei Walther PPK ac anelu am ei ben. Ba-bam!!! Cafodd ei holl addysg a'i ddysg eu harllwys yn rhaeadr o waed o'r twll taclus yn ei ben: yr holl erthyglau academaidd, y llyfrau a'r syniadau a broseswyd ar gyfer ei ddoethuriaeth ym Mhrifysgol Salta, y miliwn neu fwy o ddelweddau'r cof o'i bump plentyn yn tyfu i fyny – yr holl eiriau 'na, yr holl feddyliau 'na, y syniadau newydd sbon oedd wedi llifo ohono fel sglein gwe pry cop, y rhain oll mewn pwll o waed, a mès o ymennydd yn edrych fel porij.

Mae'r lladron wrthi eto heno, yn gweithio nein-tw-ffeif – o'r machlud tan y wawr; gweithwyr ydyn nhwythau wedi'i cwbl. Ac ymhlith y llu o weithwyr, mae 'na leian yn siarad â Duw. Hithau wrth ei gwaith, hefyd. Mae hi'n sisial yn ei chell, yn eistedd ar ei gwely gwellt yng ngolau cannwyll egwan ac mae hi'n sicr fod 'na rywun yno'n gwrando. Ei gwaith hi yw cysylltu.

– Fam dangnefeddus, dyro gysur i ni a lledaena dy ras dros drigolion y ddinas wrth iddyn nhw gysgu. Cysura'r anghenus a rho i mi'r nerth, os dyna yw dy ddymuniad, fel y gallaf gynorthwyo'r rhai sydd fy angen i.

Ac yna mae'n canu, a'r felodi ddefodol yn cario dros y toeau ac yn ymuno yng nghân yr afon, gyda sŵn llepian y tonnau bach yn harmoni iddi. Mae hi'n un o nifer sy'n canu heno. Eos o siopwr, tylluan o fardd, bariton o butain drawswisgol, côr cymysg o wallgofion draw yn

13

Santa Teresa – yn codi eu lleisiau oherwydd insomnia, gwin coch, ofn y nos, addoli'r lleuad.

Ac mi fydd 'na weddïau eraill hefyd – geiriau dwys a phrydferth. *Kyrie eleison.* A'r lleian am leddfu ei hofnau nad oes yna ddim Duw. A rhai yn La Boca yn gweddïo am gwsg, neu fwyd, neu am gael brêc yn eu bywyd. Bydd drugarog wrthym ni. Dyro nerth i ni, y rhai pitw.

Cymhlethdod o gân – hwiangerdd a bendith, *lieder* a sain-sgêp. Gweddïau o fawl ac o bryder, uwch eu pennau oll, drigolion B.A.

Un peth sy'n gyson. Sŵn yr afon yn ei lli. Mae'r afon yn gymhleth, yn bwerus, yn fendithiol, yn llygredig a chynhyrchiol. Mae'r trigolion llengar wastad yn datblygu eu geirfa am sut mae'r afon yn edrych neu am ei mŵd a'i miwsig. Croendywyll; lliw coffi llaethog, neu, yn fwy penodol yma, liw *dulce de leche*, y bwyd ambrosaidd sy'n llaeth ac yn garamel ac sy'n well nag unrhyw fwyd arall (ond peidiwch â dweud hynny wrth unrhyw ddeintydd yma, achos maen nhw wastad yn dioddef o iselder ysbryd yma gan eu bod nhw'n gweithio yn y wlad sydd ar ben y rhestr o blith holl wledydd y byd am ddannedd gwael).

Yn ôl y sefydliadau iechyd, dyma bencadlys pydredd dannedd a phethau eraill sy'n gwanio'r enamel a naddu'r dant. Mae deintyddion Ariannin wastad yn diprésd. Bydd un yn crogi ei hun heno, fel mae'n digwydd – gŵr llengar, soffistigedig ei hiwmor – ac yn gwneud hynny â chortyn cryf mae wedi'i wau o ddwsinau o roliau o edau dannedd dros gyfnod o dair wythnos i ddal ei bwysau wrth i'r gadair moelyd. Oedden, roedd yr arwyddion yno: y tacluso, yr ymweliadau â'r banc, y ciniawa 'da ffrindiau agos. Achos roedd e'n gweld, yr hen Señor Martinez, nad oedd y byd hwn yn ddim tebyg i ogof Plato, ond yn hytrach yn ddwnsiwn llawn dannedd hollt fel cerrig beddi.

Dyma restr o gymariaethau yr oedd ef, y deintydd llyfrgar, wedi'i chadw ar gyfer y Plata. Afon fawr liw llew. Corff o ddŵr sy'n *azulejo* – glaslwyd, fel lliw ceffylau, neu adlais o las baner yr Ariannin sy'n cyhwfan uwchben y palasau. Gwastatir coch o ddŵr. Neu siocled neu wyrdd a glas lliw metel. Haelioni o ddŵr yn llifo am byth.

Hedfanwch dros y ddinas, gan deimlo'r gwres yn codi o'r pridd, a gweld ehangder yr afon a thiriogaeth y ddinas, sydd wedi lledu cymaint yn ddiweddar gyda *barrios* answyddogol yn codi dros nos, chi'n gwybod, lle mae'r plant yn llefain wedi'r gwyll – lawr sha La Boca, y Geg.

Hedfanwch fel glas y dorlan – yr un hudol yn y straeon mae'r *porteños* yn eu hadrodd i'w plant, yr un sydd fel fflach o drydan byw ac sy'n marw ar ôl bwyta pysgodyn sy'n eiddo i Arglwydd y Penwaig, Yr Un y Mae'n Rhaid Ei Addoli, arglwydd yr holl bysgod a threfnydd eu cynhaliaeth yn y Dyfnddwr – ond sy'n dod yn fyw eto, fel y bydd yn marw eto, yn symbol o rym Natur (a grym chwedl i esbonio pethau). A beth yw chwedl wedi'r cwbl ond hen, hen, hen glecs? Glywoch chi beth wnaeth Clytemnestra neithiwr? Naddo, wir, gwedwch bopeth.

Mor braf yw hedfan fry: estynnwch eich adenydd fel

brenin o gondor; teimlwch y gwynt yn gafael yn y plu, yn diystyru disgyrchiant.

Oddi tanoch mae'r ddinas fel bwrdd gwyddbwyll, blociau hafal o adeiladau ar grid clasurol o strydoedd hir ac onglau sgwâr lle maen nhw'n cwrdd. Roedd Borges, awdur enwoca'r ddinas – awdur *Ficciones* a *Labyrinths* – yn hoffi ei wyddbwyll, er ei fod yn gwbl ddall. Mi fuasai'n gwerthfawrogi patrwm ei ddinas, fel y byddai'n mwynhau stori Jaime, un o forgrug Buenos Aires. Dyma hi.

Os ewch chi i lawr drwy'r cymylau tenau, dros y maes awyr sy'n brysur heno gyda chynnwrf o awyrennau yn mynd i Córdoba a Ushuaia, Jujuy a Mendoza, a dilyn goleuadau sodiwm un o'r *avenidas* llydan sy'n ymestyn tua'r de cyn troi unwaith wrth y siop lyfrau hynaf yn y lle ac yna i'r chwith wrth dŷ'r hen wreigan sy'n gwneud yr *empanadas* gorau yn y byd a mynd drwy ddrws mawr mahogani Rhif 13, Calle Rodiguez Peña, ac yna dringo lan y staer ac i mewn i'r stafell gyntaf ar y chwith, fe welwch fachgen bach yn cysgu a het ar ei ben. Het wlân werdd yw hi ac mae'n ei gwisgo drwy'r dydd – hyd yn oed yn y bath – nes bod ei fam yn ei thynnu i ffwrdd, er gwaetha'i brotestiadau sgrechlyd pan mae hi'n dwyn ei hoff beth. I'w golchi, Jaime, dyna i gyd dwi'n wneud.

Jaime yw ei unig enw. Does ganddo ddim cyfenw achos dyw ei fam, Esmerelda, sydd bellach yn gweithio mewn bar coffi ond a oedd yn arfer gweithio mewn llefydd llawer gwaeth – yn y gwestai stafell-wrth-yr-awr – ddim yn nabod y tad. Ac ni fyddai'n nabod y tad petai'n sefyll o'i blaen. Mae hi'n fenyw hardd o hyd ac fel pob menyw, pob mam, yn arwres.

Mae'n dri o'r gloch y bore ac mae'r crwt newydd ddod i fewn ar ôl noson hir o gasglu a phacio. Mae'n rhan o dîm sy'n casglu papur a chardbord ar hyd y strydoedd, gan weithio'n galed yn torri'r bocsys a'u gwasgu'n fwndeli mawr sgwâr, destlus, gyda help un o'r hen fois sydd â chhyhyrau'i freichiau cymaint â rhai Popeye neu'r Incredible Hulk.

Mae'r bychan yn gwneud y ciwbiau papur newydd ei hun, a'i freichiau tenau brown yn nyddu'r rhaffau sy'n siapio'r bwndeli mor gyflym fel na all llygad ddilyn patrwm y symudiad. Y Mwnci yw enw'r lleill arno ac maen nhw'n ffond iawn o'r ffordd mae e'n gwenu'n barhaus ac yn canu wrth ei waith – hen hwiangerddi mae'n eu cofio o'r dyddiau pan oedd ei fam-gu'n fyw, a phethau mae e wedi'u clywed ar y radio. Mae 'na ddau ddwsin o fechgyn yn gweithio yn y gang yma, a thri oedolyn yn cadw llygad arnynt.

Mae ei fam wedi codi a mynd erbyn iddo ddihuno – ond mae hi wedi gadael llond plât o bestris o'r caffi iddo. Mae'n eu cael nhw am ddim, y rhai na werthwyd y dydd o'r blaen – ac fel mae hi'n cyfiawnhau wrthi'i hun, does dim peryg yn yr holl galorïau. Fydd ei mab byth yn chwyddo'n fawr, fawr fel Zeppelin gan mor galed yw ei lafur. Mae clirio sbwriel y nos yn waith trwm fel codi hewl.

Yn y caffi mae Esmerelda'n gwerthu *empanadas* i ddynion sydd wedi blino cymaint ar ôl gweithio yn y ffatrïoedd, neu yrru tacsis am ugain awr y dydd, fel eu bod nhw'n ei chael hi'n anodd cnoi'r pestris bach sy'n llawn cig eidion a chwrens ac wyau a blas. Maen nhw'n

17

'empanada' – os taw dyna'r ferf – yn ddefodol. Ond wedi blino'n lân.

Byddan nhw i gyd i fewn fory a drennydd a phob dydd ar ôl hynny yn edrych yn fwy nacyrd nag o'r blaen. Mae Esmerelda'n gweithio deunaw awr y dydd ei hun, ar ei thraed yr holl oriau neon hynny, a gwên sydyn ar ei gwep i bob cwsmer. Mae sawl un yn fflyrtio 'da hi yn y ffordd bathetig honno mae dynion unig yn ei wneud, ac ambell waith yn y ffordd fwy cyfrwys honno mae dynion priod yn ei defnyddio oherwydd eu bod yn despret, nawr fod y wraig wedi mynd yn rhy gyfarwydd neu wedi magu bol. Peth mor fregus yw cariad rhwng dyn a dynes; peth mor gryf rhwng mam a'i phlant. Mae'r dynion yn defnyddio geiriau fel petaen nhw wedi bod yn ymarfer, wedi'u dysgu mas o lyfr.

– Wyt ti'n rhydd heno – neu fydd e'n costi i mi?

– Mi ddest ti ata i mewn breuddwyd eto neithiwr, ond doedd y fersiwn hwnnw'n ddim byd tebyg i'r prydferthwch sy o mlaen i go iawn.

– Dyma 20 *centavo* i ti. Ffonia dy fam i ddweud na fyddi'n dod adre heno.

Mae hi wedi'u clywed nhw i gyd erbyn hyn, pob pic-yp lein dan haul, rhai yn siarp a rhai yn stiwpid, rhai yn frwnt a rhai yn ffynni.

– Ti yw yr un.

Hi yw yr un. Ambell waith bydd yn mynd drws nesa i far El Faro gydag un ohonynt i gael brandi cyn troi sha thre. Un o'r yfwyr yw Gato, y Gath, a does neb yn siŵr pam fod pobl wedi rhoi'r enw yma arno. Y ffordd slinci mae e'n symud, efallai, fel petai'n cerdded yn droednoeth dros garped o ddrain.

Manuelito yw ei enw iawn ac mae Esmerelda'n dwlu ar ei lygaid a'r ffordd mae'n chwerthin a'i osgo hunanfeddiannol. Fe oedd un o'r dynion cyntaf oedd ddim yn credu bod un ddiod yn gyfystyr â'r hawl i'w chymryd i'r gwely. Roedd 'na gwrteisi yn perthyn i Gato-Manuelito a dyna pam yr aeth hi i'r gwely 'da fe. Yn y pen draw. Ar ôl iddo ddweud am ei freuddwyd. Breuddwyd ddaethai'n ôl fwy nag unwaith iddo, gan awgrymu bod arwyddocâd i'r stori-yn-y-nos.

Roedd Manuelito'n marchogaeth ceffyl ar islethrau'r Andes, a'r tir yn codi'n greigiau danheddog a chyhyrog uwch ei ben, gan gario llythyr pwysig at feudwy oedd yn byw mewn bwthyn heb na dŵr na thrydan. (Gwell dweud fan hyn, rhag ofn fod y freuddwyd yn dechrau swnio fel rhywbeth allan o straeon y brodyr Grimm, fod y meudwy'n fab i fancer pwerus yn Llundain a fyddai'n etifeddu ffortiwn maes o law a bod ei lythyron yn cael eu hanfon ato o'r unig swyddfa bost breifat ym Mhrydain ar wahân i un y Frenhines – gan hen fenyw mewn clwb egscliwsif yn Pall Mall. Manylion, manylion.)

Ta p'un, roedd Manuelito'n gwisgo het goch o felfed meddal a mantell o wlân alpaca trwchus am ei ysgwyddau, a'r ceffyl palomino'n camu'n nerfus a sionc ar hyd y ffordd garegog. Roedd hon yn un o'r breuddwydion manwl hynny sy'n aros yn y meddwl mewn ffordd graffig, fel llawlyfr trwsio car.

Roedd y ceffyl yn wyliadwrus wrth iddynt dorri

drwy'r llwyni drain yn y dyffryn caregog, yn enwedig ar ôl gweld neidr hir ddu a melyn yn hisian a chodi pen dieflig yr olwg o fonyn coeden. Roedd yr awyr yn denau nawr a sgyfaint y creadur yn gweithio fel megin. Yn y pellter roedd y mynyddoedd yn las fel y môr ac wrth i'r marchog nesáu sylweddolodd eu bod nhw'n las go iawn – effaith mwynau dan ddaear yn brigo i'r wyneb.

Pan gyrhaeddodd y bwthyn doedd y meudwy ddim adre ond roedd y drws ar agor, felly aeth Manuelito i fewn gan feddwl gadael y llythyr ar y ford cyn cychwyn yn ôl a hithau'n dechrau nosi, ond oedodd i eistedd ar yr unig gadair oedd yno ac mewn chwinciad roedd yn cysgu'n sownd. Pan ddihunodd fe welodd het a sgarff yn hofran ynghanol y stafell ac, er nad oes unrhyw beth brawychus ynglŷn â het a sgarff fel arfer, roedd y rhain yn ddigon i godi arswyd arno a dechreuodd Manuelito adrodd rhannau o'r catecism ac adnodau o'r Beibl, gan gynnwys Gweddi'r Arglwydd, a'r sgarff fel sarff yn nadreddu ar draws tir caregog Glyn Cysgod Angau. Achubwch fi! Byddwch warchodol, o Iôr! Yn y diwedd, mi ddiflannodd y dillad. Y dillad dieflig.

Roedd Esmerelda wedi bod yn gwrando'n astud ar bob gair a ddywedodd y dyn 'da'r llygaid magnet ond fe hoeliwyd ei sylw gan ddarn ola'r freuddwyd, gan ei bod hithau wedi cael breuddwyd am het a sgarff – yn hofran, a hynny'n fygythiol! Bron na allai hi gael y geiriau mas yn ddigon buan i esbonio wrtho am y cyd-ddigwyddiad anhygoel. Roedd hi'n barod iawn i gymryd ei law pan gynigiodd ei chysuro.

Nawr, petai Beelsebwb wedi ymddangos iddyn nhw, neu sarff gyda llygaid arian a dannedd hypodermig neu erchyllbeth felly, byddai'n gwneud mwy o sens rywfodd ond het a blydi sgarff! Am beth ffôl!

Yn ei stafell – roedd e'n digwydd byw yn y tŷ drws nesa ond un ac mi gyrhaeddon nhw yno mewn llai na phum munud – mi rannon nhw wydr o *cachaca*, a'r alcohol yn llosgi eu gwefusau, bron. Yna fe ddechreuodd cyrff y ddau glymu a datgymalu, tafod yn blasu, bronglwm yn datod yn slei, hithau'n ymddihatru o ffrog ddu'r gwaith ac yntau'n tynnu ei fŵts mawr solet a'r ddau ohonyn nhw'n chwerthin dipyn hefyd ac yn chwalu unrhyw deimlad o embaras. Wrth iddi eistedd arno a'i deimlo'n tyfu oddi mewn iddi roedd yn rhywbeth naturiol, diffwdan, fel petaen nhw wastad wedi perthyn i'w gilydd, fel 'tai'r foment hon yn anochel. Roedd fel petai Gato'n gwybod bod hyn yn mynd i ddigwydd ac na fyddai neb byth yn medru dwyn y foment hon oddi arnyn nhw, chwaith. Symudai'r ddau i gyfeiliant eu miwsig mewnol. Undod, rhythm, chwys, gollyngdod, wyneb wrth wyneb, arweiniad at ecstasi. Ac yna siarad gwag a Manuelito'n tanio sigarét fel maen nhw'n ei wneud yn y mwfis. Mae e'n dechrau siarad am y tywydd ac mae hithau'n gorfod chwerthin.

– Ffor ffycs sêc, nid nawr yw'r amser i drafod rhagolygon y tywydd.

Mae e'n ateb yn wylaidd, heb eiriau, drwy estyn amdani a'i thynnu'n dynn at ei fynwes, i ogof o wres, lle diogel rhwng ei freichiau blewog.

Mae hi'n hoff o'i lais, sy'n cario acen mynydd-dir ei febyd yn y cytseiniaid, yr 'o' hir 'na sydd fel sŵn y boda'n crio uwch y grugdir.

*

Mae Jaime druan wedi blino gormod i dalu sylw yn yr ysgol, er gwaetha'r ffaith fod y gwersi'n ddifyr iawn – yn enwedig oherwydd yr Americanes ffraeth sy'n ceisio cadw trefn. Mae hi'n dod o ddinas yng Nghaliffornia ac mae Miss Lucy'n honni taw dyma'r lle gyda'r hip-hop gorau yn y bydysawd. Er nad yw'r crwt yn hoff o'r lleisiau croch a'r bîts caled, eto mae'n gwenu'n gwrtais pan mae Miss yn chwarae albwm newydd y Coup iddo ar yr iPod. Mae'n bendant eisiau iPod fel gweddill y plant yn y dosbarth, er y byddai'n dewis cerddoriaeth tra gwahanol i Miss. Yn hynny o beth mae e fel pob plentyn arall yn y wlad sydd wedi gosod y clustffonau yn ei glustiau a theimlo pwysau'r blwch arian ar gledr ei law.

Dyw ei ffrind Jorge ddim yn yr ysgol heddiw oherwydd ei fod wedi cael damwain yn y gweithdy lle mae'n torri blodau i'w pacio. Ambell ddiwrnod mae ei ddwylo, ynghyd â dwylo'r holl blant sy'n gweithio yn y stafell hanner tywyll i safio lectrig, yn gwaedu oherwydd bod y weiar sy'n clymu'r rhosod a'r carnasiwns yn torri i mewn i'r croen wrth iddyn nhw eu lapio. Mae Jaime yn hoff iawn o Jorge; mae ganddo hiwmor gwyllt ac mae'n ddewr fel dyn. Un noson fe glymodd fwndel o dân gwyllt wrth gynffon ceffyl yr heddlu a'i danio 'da matsen, a'i holl ffrindiau'n chwerthin fel banshis. Ba-bwm!

Heddiw, mae geiriau'r athrawes yn llifo'n nentig o synau diystyr wrth i Jaime ymladd yn erbyn y blinder, er ei bod yn dysgu daearyddiaeth – ei hoff destun – ac yn sôn am yr holl wledydd mae'n ysu i ymweld â nhw: Chile a Brasil ac Ecwador a Paraguay, gyda'r fforest o ddrain a'r trên bach sy'n codi ar hyd ochr y mynydd ar ei ffordd i'r sêr a'r rhaeadrau sy'n boddi hyd yn oed sgrechian hysterig yr heidiau o baracîts. Mae ei ben yn mynd yn drymach ac yn drymach wrth iddo wrando ar restrau o holl ogoniannau'r gwledydd sy'n eu hamgylchynu. Ei lygaid yn cau yn raddol: Santiago – Gran Chaco – Acatama – Córdoba – Tierra . . . del . . . Fuego.

– Jaime, wyt ti'n cwmpo i gysgu?

*

Glaw mân ym mhobman a golwg mwll ar bob peth. Mae Horacio Trocca a'i wraig Flavia yn gwisgo'u dillad gorau; – mae e'n dwt ac yn daclus mewn siwt-claddu-ffrindiau a hithau'n gwisgo cot ffwr a brynodd ei mam-gu oddi wrth drapiwr anifeiliaid ar y Russian River yng Ngogledd Califfornia ar droad y ganrif ddiwethaf. Fe wisgodd ei mam-gu'r got yr holl ffordd i lawr i'r Ariannin ar drên ac ar geffyl fel bod golwg wedi gweld dyddiau gwell ar y got cyn i'w mam-gu gyrraedd. Eto, roedd yn falch o'i chot ffwr o America ac yn ei gwisgo ar unrhyw achlysur, hyd yn oed yng nghanol yr haf pan oedd pawb arall yn gwisgo siwtiau lliain. Roedd dwst adenydd gwyfynod a lleithder ar y got ond roedd arogl y daith yn y ffwr o hyd.

23

Maen nhw'n cerdded yn urddasol at gornel y stryd lle maen nhw'n galw am dacsi. Dyma'r tro cynta i Horacio iddo fod mewn tacsi ond mae heddiw'n dyngedfennol, sy'n cyfiawnhau'r gost. Mae'n cyfri'r arian drosodd a throsodd ar y daith a phrin ei fod yn gweld unrhyw beth allan drwy'r ffenestr. Nid trip siopa mo hwn. Bydd y doctor yn rhoi canlyniadau'r profion cancr i'w wraig, sydd wedi bod yn sâl iawn ac yn gwaethygu.

Ambell noson, wrth iddynt ddawnsio i'r hen ganeuon – Troello yn chwarae'r bandoneon, neu ddwylo Pugliese yn anwesu'r piano fel petai'n cofio amlinell corff ei gariad gyntaf – bydd Horacio'n sylwi ar effaith arswydus y salwch: y cnawd o amgylch asennau ei wraig wedi crebachu nes gadael cawell bregus bellach. Gall deimlo sut mae ei chalon – sy'n curo gydag ofn a phleser, mor gyflym â chalon aderyn bach y si – yn ysu am gael rhedeg i ffwrdd. Bant o'ma, allan i'r nos, i ffwrdd oddi wrtho fe, hyd yn oed, achos mae ei gariad ef – cariad mawr ac unig gariad mawr ei bywyd – yn ei mygu weithiau.

Daw'r dyn tacsi o Armenia ac mae ganddo acen fel sŵn gwaith caled. Mae'n gyrru'n wyllt ymhlith yr holl bobl wallgo sy'n gyrru'n wyllt, fel tasen nhw mewn gwallgofdy awyr agored, a phawb ar ras i weld nyrs gyda'i throli o dabledi. Gyrrwch chi o gwmpas Buenos Aires a bydd angen drinc mawr arnoch chi – neu lond llaw o Librium.

Eistedda Señor a Señora Trocca fel delwau, eu dwylo wedi'u plethu, a'u meddyliau'n llenwi 'da'r storom drofannol sydd i ddod.

Maen nhw'n nabod y meddyg yn dda ac wedi bod yn

mynd i'w weld ers hanner canrif. Mae ganddo ffordd dda a hyderus o drin y cleifion: wastad yn esbonio'n glir, wastad yn cynnig coffi neu frandi, wastad wedi darllen y nodiadau clinigol cyn i rywun fynd drwy'r drws. Ei got yn wyn a'i anadl ar dân 'da brandi. Ond mae'n sobor heddiw oherwydd bod salwch terfynol yn dod â dyn at ei goed, ac yn achos Señora Trocca mae hi'n wynebu'r goedwig dywylla oll. Bydd ei gŵr yn chwalu'n deilchion hebddi, meddylia.

– Gymrwch chi rywbeth i'w yfed? medd y doctor, gan estyn am y tegell a'r botel mewn un ystum.

– Dim diolch, medd yr hen bâr, eu lleisiau'n gytûn, fel act ar lwyfan.

Agorodd y doctor ei nodiadau'n ddiffwdan. Pan fyddai yna newyddion drwg, doedd dim oedi i fod.

– Allai ddim esbonio pethau'n well na rhoi popeth yn nhermau amser. Rhyw bythefnos yn unig sydd ganddoch chi, Señora Trocca. Mae'n wir, wir ddrwg 'da fi. Gallwn eich helpu drwy reoli'r boen ond mae'r cancr ar ras drwy eich corff. Mae gen i un awgrym. A fyddech· chi'n ystyried mynd i'r ysbyty nawr, lle gall pobl eich cadw'n gysurus?

Mewn llais sy'n sioc o hyder ac yn fwy, wel, *llawn* nag y dylse fod, mae'r hen fenyw yn gwrthod, gan fynnu ei bod am aros gyda'i gŵr am yr holl amser sy'n weddill iddi. Er bod y doctor yn esbonio y gallai Horacio aros yn yr ysbyty hefyd, mae 'na olwg bendant yn ei llygaid cwrens duon sy'n pefrio o'i sbectol wrth iddi dynnu ei chot ffwr yn dynn amdani. Mae'n amlwg ei bod hi wedi penderfynu ymhell cyn dod yma. Ac mae'r doctor yn nabod styfnigrwydd ei chenhedlaeth hi – pobl sydd wedi byw trwy dlodi ac aros mewn tlodi.

Mae'r ddau'n moesymgrymu wrth adael, yn union fel addolwyr Siapaneaidd yn nheml Kiyomizu yn Kyōto, er na fu'r pâr yma erioed y tu allan i Buenos Aires ac nad oeddynt wedi cwrdd ag unrhyw un o Siapan, chwaith. Cerddant allan gyda'u pennau'n uchel, heb arlliw o ofn na dim byd felly.

– Tan ddiwedd y byd byddaf gyda thi. Nes bod yr haul yn cwympo o'r nen, f'anwylyd, o fenyw hardd!

– Ti yw'r un.

Y noson honno maen nhw'n mynd i L'Aventura am ginio, hen le bwyta sydd wedi gweld dyddiau gwell – y papur llwydaidd yn pilo oddi ar y waliau, cadeiriau'n cael eu dal at ei gilydd gan nerth y tâp du sy'n rhwymo'u coesau a'u cefnau. Mae'r dynion sy'n gweini yma yn hen hefyd, sombïod cwrtais mewn crysau gwyn llachar a theis duon syber. Ond sombïod cynllwyngar ydyn nhw – cynllwyngar mewn ffordd hyfryd, cofiwch – ac maen nhw'n gwneud yn siŵr fod y parau tlawd sy'n dod yma i ginio yn teimlo eu bod yn werth y byd, ac yn medru prynu'r byd pe dymunent wneud hynny. Er taw dim ond un dewis sydd ar y fwydlen – cig a thato i ginio a fflan caramel i ddilyn – mae'r hen fois wastad yn gofyn 'Ydy'r *señoras* wedi dewis?' cyn sgrifennu'r ordor, a thrwy'r un cwestiwn yma maen nhw'n llwyddo i gadw'r ffantasi, ac urddas yr hen bobl, yn fyw.

Dros y fflan mae Flavia'n dweud wrtho y bydd hi'n dal i'w garu ar ôl iddi farw a chyda hynny mae llygaid yr hen ŵr yn rhaeadru dagrau a'i gorff yn ysgwyd gan ergyd yr emosiwn.

– Mae'n wir, medd yr hen wraig, Fe fydda i'n dal i dy garu. Gei di weld.

Ac mae hi'n esbonio ei bod hi wedi gwirfoddoli i ddysgu cyfres o rifau, cod arbennig wedi'i ddyfeisio gan fathemategwyr yn y brifysgol. Y syniad yw hyn: os gall hi gyfathrebu'r rhifau cymhleth yma yn eu trefn i'w gŵr, yna mi fydd yn profi'n ddigamsyniol fod modd cysylltu o'r tu draw i'r bedd.

Mae hi'n egluro mwy am natur yr arbrawf a bod Athro yn y brifysgol wedi esbonio cynifer o bethau cadarnhaol iddi am arbrofion eraill yn America a Chanada sydd wedi canfod pethau pwysig am yr eiliad pan fydd rhywun yn marw a'r hyn sy'n digwydd ar ôl hynny.

– Ac oes 'na bobl yn cysylltu o'r ochr arall i'r bedd?

– Dim 'to, Horacio.

Mae Horacio'n gwrando ond dyw e ddim yn deall. Mae ei lwy ar y plât. Does dim chwant bwyd arno. Dyw e ddim eisiau dim byd o gwbl, ar wahân i gadw'i wraig wrth ei ymyl.

Abelard ac Eloise. Anthony a Cleopatra. Barack a Michelle. Adda ac Efa. Horacio a Flavia. Mae 'na rai parau sydd gyda'i gilydd oherwydd bod ffawd wedi trefnu hynny. Ganddyn nhw y mae'r math o gariad sy'n goroesi. Byth bythoedd.

*

Roedd Esmerelda'n edrych mlaen fwyfwy at weld Manuelito. Byddai amser yn ei gwmni ar Plaza Asuncion yn ddigon iddi, a byddai dal ei law bwerus yn fwy na digon. Esboniodd wrthi am ei fywyd, a'i dad a oedd yn gorrach o ran emosiynau. Roedd e'n eiddigeddus o'i fab a'i dalentau. Bu bron i Manuelito fynd i actio ac yn wir roedd ar ei ffordd i glyweliad gyda chwmni theatr enwog, ond torrodd ei dad ei fraich yn hytrach na gweld Manuelito yn mynd i blith yr holl wrwgydwyr 'na. Dyna oedd ei esgus. Ni thorrodd y mab air ag e o'r dydd hwnnw ymlaen. Doedd e ddim yn siŵr a oedd ei dad yn dal yn fyw, hyd yn oed.

Cadwai ei fam siop gig gan fridio moch i'r pwrpas. Byddai'n gwneud *paté* Ewropeaidd gan ddilyn ryseitiau yn hen lyfr ei mam-gu. Beth oedd ei atgofion ohoni hi? Chwerthiniad braf, llygaid mwyar duon, brat gwyn o'i blaen wrth iddi goginio, a phersawr fel pinafal pan fyddai'n paratoi i fynd i'r farchnad.

Roedd y ddinas wedi llithro i gyfnod o wres llethol pan fyddai'r nosweithiau'n llaith a'r tymheredd yn debyg i anadl dynol – anodd cysgu, amhosib breuddwydio, pob corff yn teimlo'n wlyb a hyd y oed y gwyfynod yn hedfan yn llafurus o gwmpas y lampau, eu hadenydd yn wlyb 'da rhywbeth fel chwys.

Ond i Esmerelda doedd dim ots am hynny, dim pan oedd Manuelito yn aros tan y bore. Yn y gwely roedd e'n folcanig o nwydus ac roedd hi'n hapus i symud yn wyllt o'i gwmpas ac oddi tano ac o'i flaen, a chalonnau'r ddau ohonyn nhw ar garlam. Byddai'n gweiddi ei henw nes bod yn rhaid iddi osod ei llaw dros ei wefusau crasboeth.

Ond byddai'n rhaid iddo adael cyn i'w mab Jaime ddychwelyd. Jaime oedd y dyn yn ei bywyd, ond teimlai ei bod yn rhoi lle i Manuelito hefyd, yn ymddiried ynddo ac yn gweld ei wyneb o'i blaen pan fyddai'n glanhau'r byrddau yn y *café*, neu'n arllwys copa o wydr i ddyn diarth.

Roedd yn ochelgar o gariad, ac o ymgolli yn nryswch cariad, yn sgil ei phrofiad gyda *gaucho* o Batagonia a redodd fel *mustang* dros ei chalon, gan chwalu ei system nerfau a'i striwio fel gwellt ar hyd y lle. Ar y pryd gallai weld dyfodol gyda'r dyn gwyllt o rywle pell i ffwrdd. Dylai fod wedi bod yn ddrwgdybus ohono oherwydd ei eiliau trwchus, a oedd yn tyfu fel cactws dros ddifeithwch ei dalcen. Ond doedd hi ddim yn medru darllen cymeriad yn y dyddiau hynny, ddim yn gwybod nad oedd y cowboi yn un i aros yn hir yn unman.

Roedd Manuelito mor wahanol; roedd 'na rywbeth brawdol, cysurlon yn ei gylch a'i anadl ar ei gwar wrth iddi orwedd wrth ei ymyl fel awel fwyn oddi ar ryw draeth trofannol, ac arogl ei anadl yn felys, fel sinamon. Pan fyddai Manuelito'n cysgu, fe fyddai hi'n gofyn cwestiynau iddo:

– Wyt ti'n un o'r rhain sy'n rhedeg i ffwrdd?

– Beth yw dy ddymuniad penna?

– Wyt ti'n credu mewn ffawd?

– A fyddi yma wrth fy ochr pan ddaw'r Nadolig? Pan ddaw'r gwanwyn?

A dychmygai'r atebion, yn yr acen ogoneddus honno oedd yn creu pictiwr o hebog uwch llethrau'r mynydd a'r alpaca'n pori.

– Dwi eisiau aros yma i weld pob gwawr.

– Aros yma er mwyn gweld dy wallt yn britho.

– Ffawd ddaeth â mi yma a gwneud yn siŵr dy fod yma i'm croesawu.

– A phob Nadolig arall. A phob tymor a ddaw yn ei dro.

*

Nid yw ffrind Jaime yn gwella ac un dydd Gwener mae 'na angladd i'r bachgen bach dymunol, Jorge, a channoedd o weithwyr y nos yn troi lan yn fyddin o gydymdeimlad. Yn eu plith mae 'na leian sydd bellach yn treulio'i bywyd yn gweithio ar y strydoedd, Mam Teresa i anffodusion Buenos Aires. Mae ei ffydd yn gadarn er ei bod yn wynebu pob math o erchyllterau: un noson mi geisiodd dyn carpiog ei threisio, dro arall mi gafodd ei stabio gyda chyllell fara wrth gynnig *sopa* yn y *refugio* i ddyn oedd yn hanner gwallgo, a'i lygaid mas ar goesau ar ôl yfed gwin tsiep a pholish celfi – coctel i'r gwallgo, os buodd 'na un erioed.

Nid oes neb yn gwybod taw hi oedd yr Angel, y fenyw wnaeth gysuro cynifer o famau ar ôl i'w gwŷr ddiflannu yn saith deg chwech. Ni chysgodd winc am flynyddoedd, wrth iddi geisio darganfod beth oedd wedi digwydd i'r diflanedig rai. Byddai'n cysuro'r mamau, y rhai oedd yn boddi mewn cwestiynau. Ble? Sut? Pam? Ble? Ble?

*

30

Nid yw Jaime yn cyfri'r ffrindiau clòs sydd wedi marw bellach, ar ôl iddo wneud hynny'r tro diwetha a chyrraedd trigain. Trigain o fechgyn ifanc wedi colli eu bywydau yn y pum mlynedd diwetha – drwy ddamweiniau yn y gwaith, ymladd gyda chyllyll, a chriw nid ansylweddol o fois oedd wedi'u lladd eu hunain, fel petai pla anghenus o anobaith wedi crwydro'r *barrios*, gan lygadu bechgyn fel Carlos a Salvador a Gabriel yn ddim byd mwy nag ysglyfaeth. Bywyd llwm oedd bywyd y stryd a phris bywyd yn isel, nofela tsiep gyda chymeriadau y gellid eu hanghofio'n frawychus o hawdd. Nid oedd Jaime yn medru cofio lliw gwallt Carlos, na pha dîm pêl-droed yn Lloegr yr oedd Salvador yn ei hoffi na phryd wnaeth e gwrdd â Gabriel, y diwetha i farw, a laddodd ei hunan drwy foddi yn y pwll nofio cyhoeddus, wedi clymu ei ddwylo ei hun – sy'n dipyn o gamp, mae'n rhaid i chi gyfaddef – cyn deifio i'r dŵr tywyll.

Un noson, wrth iddo weithio ar un o'r strydoedd yn nwyrain y ddinas, mae menyw dal sy'n dod allan o le bwyta Chileno y Tres Estrellas yn talu sylw manwl i ystumiau Jaime wrth iddo rwygo a gwasgu a llwytho'r bwndeli ar y certi. Mae hi'n ei wylio am rai munudau, heb yr embaras arferol pan fydd pobl mewn dillad crand yn edrych, neu'n smalio peidio ag edrych, ar y gweithwyr wrth eu gwaith. Yna mae'n cerdded lan at y dyn sy'n codi'r bêls mwyaf ac yn gofyn sut y gall hi gysylltu ag e drannoeth i drafod busnes. Pwy ar y ddaear sy'n defnyddio geiriau fel 'busnes' gyda gweithwyr sy'n gwisgo fel cardotwyr ac sydd ond yn dod allan yn y nos, fel tylluanod? Ond mae Juan yn rhoi cyfeiriad ewyrth

Jaime sy'n cadw siop draw ar ymyl yr afon ac sydd hefyd yn berchen ar ffôn ac yn dweud wrthi taw dyna'r ffordd orau i gysylltu ag ef. Clustfeinia Jaime, er nad yw'n deall pob peth. Eto, mae'n ddigon aeddfed, mewn byd lle mae plant yn gorfod aeddfedu'n gyflym er mwyn cadw'n fyw, i sylweddoli bod rhywbeth mawr ar droed. Roedd y fenyw'n ogleuo o arian a than oleuadau'r stryd roedd ei gwallt yn sgleiniog 'da effaith siampŵ drud a steilio costus.

Phyllida Gellhorn yw enw'r fenyw ac fe drawodd y syniad hi'n sydyn y noson honno. Americanes yw hi, ond mae hi wedi bod yn byw yn yr Ariannin am dipyn mwy o amser nag y bu hi'n byw yn yr Unol Daleithiau. Bellach mae'n siarad yn nhafodiaith y *porteño* i'r fath raddau fel bod pob arlliw o ddinasoedd fel Oakland a Minneapolis, lle bu hi'n newyddiadurwraig stilgar gyda'r gorau, wedi diflannu'n llwyr.

Bellach, mae'n gweithio fel cyhoeddwr, yn enwedig llyfrau plant, gan gynnwys y gyfrol enwog *Las Aventuras del Gato Blanco*, ac mae hi wedi cael syniad, un o'r syniadau hynny sy'n medru newid cyfeiriad bywyd rhywun.

Mae ganddi lun o lyfr yn ei phen – delwedd o lyfr a chanddo gloriau cardbord a thudalennau wedi'u cynhyrchu o bapur wedi'i ailgylchu. Gweledigaeth o filoedd o lyfrau cardbord. Miliynau ohonynt. Gweledigaeth go iawn, ac yn y car ar y ffordd adref mae'n parablu am y syniad gyda'i gŵr, ond rhwng ei glyw gwael a nifer y *caiparinhas* mae e wedi'u llowcio yn ystod y nos, nid yw'n deall rhyw lawer ac yn sicr nid yw'n rhannu ei brwdfrydedd am y mater.

Pan mae Jaime'n mynd adre'r noson honno mae'n aros, fel bob noson, i adael pentwr bach o bapurau dyddiol wrth ddrws yr hen gwpwl sy'n byw lawr stâr. Dyw e byth yn ei gweld hi na fe, ond mae 'na fiwsig i'w glywed yno ddydd a nos – yr hen alawon sy'n hollti'r galon fel min bwyell. Os oes ganddo amser, mae'n eistedd yn ei gwrcwd y tu allan i'r drws ac yn gwrando ar y miwsig ac, yn fwy na hynny, yn cadw'r alawon ar gof, gan mai dyna'r gerddoriaeth sy'n mynd drwy ei ben drwy'r nos wrth lafurio. Allwch chi stico rap a hip-hop lan 'ych pen-ôl, Miss!

Ar ôl iddo glywed sŵn traed y bachgen yn troi'r gornel ar y grisiau ac agor drws y fflat, fe fydd yr hen ddyn yn codi'r papurau ac yn eu cario nhw i'r stafell fwyta lle mae wrthi'n torri miloedd o stribedi o bapur a'u gludo at ei gilydd. Mwy na hynny hyd yn oed, mae 'na ddegau o filoedd o ddarnau o bapur yn cael eu hychwanegu at fframwaith sydd, ei hun, wedi'i wneud o stribedi papur.

Mae penawdau pêl-droed yn torri ar draws llofruddiaethau a sylwebaeth wleidyddol, stribedi o *La Naccion* ar draws rhubanau yr un maint o'r *Buenos Aires Herald*. Yn raddol mae siâp ei greadigaeth yn dod yn amlwg a'r hen ddyn yn dechrau cryfhau'r blaen, yr ochrau a'r cefn. Mae'n ei hadeiladu allan o straeon o'r *Clarin* a *La Prensa*, *La Razon* a *La Capital*, cannoedd o naratifau . . . Y stori fawr am y pengwiniaid cyntaf yn glanio yn Chubut, sy'n arwydd o ddyfodiad y gwanwyn cyn sicred â'r gwenoliaid yn cyrraedd 'nôl uwchben ffermdiroedd Ewrop, yn *La Cronista* a *Pagina 12*;

gwallgofrwydd y pinco Arlywydd Chavez yn Venezuela yn chwerthin yn gyhoeddus ar ben George Bush yn hoelio sylw *Ambito Financiero*; llofruddiaeth yn San Telmo ac yn y Claramente; a llu o straeon eraill – darganfod olew ger Patagonia, cynhaeaf gwin arbennig sy'n argoeli'n dda ar gyfer twf diwydiant gwinllannoedd y wlad, o Córdoba i Mendoza (archebwch gês o Malbec cyfoethog a gallwch ei selera'n barod ar gyfer achlysur arbennig . . .). Mae pob un o'r straeon, waeth pa mor dda y'i sgrifennwyd na pha mor drwyadl yr ymchwil, yn troi'n ddarnau bach sgwâr wrth i siswrn siarp a dwylo crynedig Horacio dorri ei ddeunydd adeiladu. Darnau o bapur. Hanner stori fan hyn. Wyth modfedd o stori fan arall. Ac mae'n dechrau siapio . . .

*

Nid yw'r cyfarfod cyntaf rhwng Jaime a Manuelito yn llwyddiant. Mae Esmeralda wedi gofyn i Jaime fihafio, ac mae'n derbyn ei fod yn fachgen da ond hefyd ei fod bellach yn meddu ar ysbryd annibynnol iawn, gan iddo orfod ysgwyddo cyfrifoldeb a rôl y tad yn absenoldeb unrhyw oedolyn tebyg ar yr aelwyd. Mae ysbryd *alpha male* ynddo fe hefyd, sy'n mynnu gwrthdaro yn erbyn presenoldeb dyn arall, yn enwedig dyn sy'n dechrau hawlio amser, sylw ac, efallai, galon ei fam. Mewn oes arall, ac mewn lle arall, byddent yn ymladd 'da chyllyll erbyn hyn.

Maen nhw wedi dewis *pizzeria* lle mae Jaime a'i fam wastad yn mynd ar ei ben-blwydd. Mae hi'n tybio taw dyma'r ffordd i gael y crwt i weld y noson gyfan fel trît o ryw fath, ond mae e jyst yn gweld yr ystryw'n gyfystyr â llwyth gwyllt yn rhuthro i'w bentre gan losgi'r cabanau gwellt i'r llawr, a threisio'r menywod a'r anifeiliaid (ie, yr anifeiliaid – boi, mae ei waed yn corddi o eistedd gyda'r Manuelito 'ma sy'n ei hala fe'n wyllt 'da'i blydi atal dweud ffug).

– Rwyt ti'n m-m-m-m-wynhau'r ysgol, yn ôl dy fam – meddai hwnnw, gan geisio dod â'i atal dan reolaeth.

– Doedd dim hawl 'da hi i drafod fy ngyrfa addysgol gyda dyn estron – 'wedodd Jaime, heb boeri, cweit.

Gwenai Manuelito, yn fodlon parhau â'i ymdrech gyda'r crwt, nid yn unig oherwydd ei fod yn dotio ar ei fam ond oherwydd ei fod e'n edmygu'r boi bach, oedd yn gweithio fel Troead ac yn dodi amlen frown gyda'i enillion ar y bwrdd bob nos Wener. Nid bod bechgyn y stryd yn ennill ffortiwn am eu gwaith. Ond doedd e ddim yn cadw *centavo* iddo'i hunan, er bod ei fam yn rhoi arian poced iddo.

Yn hwyrach y noson honno mae criw o ddynion gydag acenion rhyfedd yn dod lan at griw Jaime ac yn dweud eu bod yn mynd â'r cardbord. Mae un ohonyn nhw'n dangos dryll dan ei got ac yna maen nhw'n gorfodi'r bechgyn i lwytho'r bwndeli ar lori sy'n amlwg wedi'i dwyn – achos mae 'na hysbysebion ar gyfer 'Pizza Gloriosa' ar yr ochrau a'r cefn, a fyddai hyd yn oed lladron rîli stiwpid ddim yn gyrru fan mor hawdd i'w chofio. Wrth i'r fan ddiflannu i'r nos mae Jaime a'i griw yn rhyfeddu. Ble arall fyddai rhywun yn dwyn carbord ond Buenos Aires, nawr fod y peso unwaith eto'n llithro yn erbyn y ddoler?

*

Dros frecwast mae'r hen bâr yn trafod ewthanasia a sut hwyl gafodd y tîm pêl-droed lleol, Boca Juniors, y noson cynt. Mae'r hen ddyn yn awgrymu ei fod yn nabod rhywun fyddai'n medru rhoi llond syrinj o hylif fyddai'n dod â'r holl beth i ben mewn llai na dwy funud, er nad yw'n dweud taw'r doctor yw'r ffrind hwnnw, ac yn rhoi'r bai am y sgôr neithiwr ar y rheolwr newydd sydd angen ci i weld, a ffon wen.

Mae'n cymryd hanner awr iddynt wisgo eu dillad dawnsio, a hithau bellach yn anadlu'n ddwfn a phob symudiad yn ymdrech fawr. Mae ei gŵr yn gosod nodwydd y peiriant chwarae recordiau ar un o'i ffefrynnau, un o ganeuon Carlos Cesar Lenzi, 'A Media Luz', sydd fel anthem iddynt. Ac wrth i'r geiriau chwyrlïo'n araf o gwmpas y stafell mae'r ddau'n dechrau symud, eu cyrff yn stiff o'r gwregys i fyny ond eu coesau'n gwneud symudiadau gymnasteg araf. O'r canol i fyny mae'n ddawns stiff, ffurfiol, ond y coesau, wel, nhw rîli sy'n gwneud y gwaith i gyd. Rhennir y corff yn ddau yn y tango, a dyw'r rhai sy'n dawnsio'n dda ddim yn symud eu hwynebau o gwbl, bron. Nawr mae'r llais yn llenwi'r stafell:

Corrientes 348, cymerwch y lifft i'r ail lawr,
Dim *concierge* i sbio arnoch, dim cymdogion chwaith.

36

Tu fewn, coctels a chariad,
Popeth yn yr hanner goleuni,
Sut swynwraig yw cariad?
Cusanau yn yr hanner goleuni
A'r cysgodion gerllaw,
Y gwyll uwchben
Fel melfed uwch ein pennau
Hanner goleuni cariad . . .

. . . ac er nad yw'r ddau yn edrych ar ei gilydd maen
nhw'n teimlo'i gilydd, yn gwbl *simpatico* eu symudiadau,
fel tasen nhw yn gweld ei gilydd, yn gweld ei gilydd am y
tro cyntaf – yntau'n cludo bocs o sgidie ar draws yr
Estados Unidos a hithau'n ferch ddwy ar bymtheg oed yn
cario tusw o flodau i'w roi i'r athro fiolin ar ôl iddi
basio'r arholiad ac yn dawnsio 'da llawenydd wrth
ruthro i lawr y palmant heb weld y twll yn y ddaear sy'n
ei thaflu hi i'r llawr. Wrth i Horacio edrych arni nawr fe
wêl y blynyddoedd yn diflannu fel plisgyn ac mae'n
gweld yr un olwg o ofn a diolch oedd yn ei llygaid pan
wnaeth e gynnig ei chodi ar ei thraed 'da un llaw, cyn
casglu'r rhosod melyn a'u gosod yn ôl yn y côn papur . .
. Yn y golau yma mae ei chroen yr un lliw â'r rhosod
hynny. Byddai lliw ei chroen yr un peth yng ngolau'r dydd
y tu allan. Nawr bod ei hafu yn dechrau cwympo'n rhacs
a'i harennau yn pallu, dyna yw lliw ei chroen. Ond mae
hi'n dal i ddawnsio, ag urddas anhygoel a chyda thechneg
wych. Mae ei chof yn dda er gwaetha gwendid y corff.

*

Mewn ystafell ysblennydd mewn swyddfa sy'n edrych allan dros y Plaza Mayor a'r eglwys gadeiriol – gyda bord ar gyfer ugain o bobl wedi'i cherfio o bren mahogani lliw sigâr – mae Phyllida'n dadlau ei hachos ac yn awyddus i berswadio dynion yr arian i ryddhau digon o bres iddi ddechrau gwireddu ei breuddwyd yn syth bìn. Mae hi'n apelio at eu cydwybod yn ogystal â'u greddf fusnes:

– Foneddigion, mae hwn yn gyfle nid yn unig i wneud i bawb yn yr Ariannin deimlo balchder yn yr hyn yr ydym yn ei wneud ond fe allwn ni ddweud wrth y byd ein bod ni – yn wahanol i'n cymydog anwar, Brasil, lle mae'r heddlu cudd yn lladd plant yn y *favelas,* a hynny wrth y dwsinau hefyd – ein bod ni, drigolion gwaraidd, llengar Argentina yn dymuno gweld hyd yn oed ein plant tlotaf yn chwarae rôl ym myd diwylliant. Ac felly, dyma pam y'n ni'n lansio llyfrgell newydd o glasuron ein llên, yn wir, holl ganon gogoneddus ein llên, ar bapur wedi'i ailgylchu a chyda cloriau wedi'u gwneud o'r cardbord y mae ein plant yn ei gasglu ar y strydoedd.

– Ond oni fydd hynny'n awgrymu sarhad ar safon ein llenyddiaeth, pecynnu rhyfeddodau geiriol Cortázar a'i fath ynghanol brechdan gardbord? heria un dyn boliog a'i wyneb mor goch â ffiwsia.

– Dim o gwbl. Mae pob awdur cyfoes gwerth ei halen wedi llofnodi deiseb yn cefnogi'r syniad. A phetai Julio Cortázar yn fyw y dydd heddi, dwi'n siŵr y byddai ei lofnod e ar y ddeiseb – mewn gwaed petai raid . . .

Ac yna'r master-strôc . . .

– A thra bod y gwledydd o'n cwmpas yn talu'r heddlu

cudd, ac nid yn unig yr heddlu cudd, i boenydio plant y *favelas* wrth y dwsin, rwy'n siŵr eich bod chi'n cytuno ein bod ni'n gymdeithas sy'n parchu plant . . . Na, mi af ymhellach a dweud ein bod ni, yn ddigamsyniol, yn *caru* plant, yn parchu plentyndod a diniweidrwydd ac yn gofyn dim ond tri pheth gan ein plant: eu bod yn caru eu rhieni, yn cadw trefn ac yn gweithio yn yr ysgol. Ac fe fydd hyn yn rhoi cyfleoedd cyfartal i blant o Catamarca i Ushuaia ac o Formosa i Mendoza i ddarllen pob sgrap o'u llenyddiaeth genedlaethol, ac yn wir i chi, pan fyddwn wedi gorffen gyda hynny mi ddechreuwn ni gyhoeddi llenyddiaeth fawr y byd – Goethe a Dickens a Tolstoy a Shakespeare, Italo Calvino, Ted Hughes, Elias Canetti, Caradog Pritchard a Patrick White.

Roedd hi wedi sôn am White yn fwriadol, gan wybod na fyddai'r rhain wedi clywed amdano, a rhoi mantais iddi o'r herwydd. Roedd hi'n caru ei nofel *The Tree of Man* yn fwy nag unrhyw lyfr arall ac wedi'i darllen wyth gwaith o leiaf.

Gofynnwyd iddi adael y stafell tra bod y dynion boliog gyda'u hwynebau gwridog lliw gwin Malbec yn trafod yr hyn yr oedd hi wedi'i gynnig. Ymhen fawr o dro roeddynt yn ei gwahodd 'nôl i fewn. Roedd gwên ar wyneb prif weithredwr y Banco Nacional wrth esbonio ei fod ef nid yn unig yn fodlon rhoi iddi bob peso yr oedd hi'n dymuno ei chael ond fod pob un ohonynt o gwmpas y bwrdd, yn eu rôl fel cyflogwyr, yn fodlon rhyddhau tri neu bedwar o'u staff mwyaf profiadol ym meysydd marchnata, cyfrifeg, a chysylltiadau cyhoeddus i'w helpu i sefydlu'r fenter go iawn.

– Rydych yn fenyw lawn perswâd ac egni – meddai'r bancwr wrthi, gan sibrwd y byddai'n fodlon cynnig swydd iddi unrhyw bryd yn y Nacional.

– Ry'n ni'n tyfu lan fel gwlad heddi – meddai'r cynarlywydd oedd yn chwilio am ffordd yn ei ben o ddefnyddio'r syniad clodwiw i ail-lansio'i yrfa. Roedd 'na rywbeth am y fenyw yma a'i syniad oedd wedi tanio'r sbarc ynddo.

– Ac os bydd y Banco Nacional yn cynnig arian mawr i chi i weithio iddyn nhw, mi wna i gynnig swydd i chi gyda'r Parti, a chynnig blas ar wir ddylanwad a phŵer.

– Mi gofia i am y cynnig, addawodd Phyllida, a oedd yn bwriadu dechrau gwaith ar y prosiect y prynhawn hwnnw drwy geisio cael gafael ar y crwtyn bach a welodd y noson dyngedfennol honno. Roedd rhif ei wncwl ganddi yn ei llyfr du.

– Diolch i chi i gyd . . . am eich doethineb. Bydd cenedlaethau'r dyfodol yn ddyledus i chi.

Ffoniodd a chael y cyfeiriad, ac er gwaetha'r min ar y gwynt penderfynodd gerdded drwy'r ddinas i chwilio am siop yr wncwl. Roedd yn rhaid mynd heibio i Soweto'r ddinas, y dref o dai tlawd nesa at yr orsaf drenau lle roedd miloedd o drigolion wedi datgan na fydden nhw'n gadael nes cael addewid o ryw ganran o'r arian y byddai datblygwyr yn ei gael am y tir gwerthfawr. Clywai gôr o blant yn canu, tu hwnt i'r mur a'r weiren bigog wrth ochr y tracs rheilffordd.

Roedd y siop yn dywyll, nid oherwydd ei bod wedi cau ond oherwydd taw dim ond un gannwyll oedd yn goleuo'r stoc o deganau ail-law. Roedd babŵn ag un llygad yn hongian oddi ar y til, a'r til ei hun yn edrych fel rhywbeth ddylai fod mewn amgueddfa. Ar y llawr, fel trap doniol ar gyfer ymwelwyr, roedd nifer o hwyaid plastig yn nofio ar lyn wedi'i wneud o bapur alcam. Roedd yno bentwr enfawr o focsys yn llawn posau, ac wrth iddi ymgynefino â'r golau prin gwenodd Phyllida wrth sylwi bod y jig-sos yn rhestru yn union faint o ddarnau oedd ym mhob bocs – ac felly sawl darn yn union oedd wedi mynd ar goll. Roedd yn rhaid i rywun fod yn dlawd iawn, neu'n amyneddgar iawn, i brynu jig-so anghyflawn. Roedd un bocs yn cynnwys 1898 darn allan o 2000. Byddai'n edrych fel hosan wlân ar ôl i'r bwllwch orffen bwyta.

– Ga i'ch helpu chi, modom? – meddai dyn mewn cot frown a chanddo sioc o wallt gwyn hir yn hongian dros ei ysgwyddau.

– Dwi'n chwilio am Jaime. Oes syniad gyda chi ble alla i ddod o hyd iddo?

– Chi ffoniodd, ife? Dyw e ddim wedi gwneud dim byd o'i le, meddai'r hen ddyn, nid fel cwestiwn ond megis gosodiad – her iddi. Roedd yn ddrwgdybus o'r fenyw yn ei dillad drudfawr ac yn gwbl amddiffynnol o'i nai.

– Nag yw. Mae gen i gynllun i wneud llyfrau fforddiadwy a dwi isie trefnu bod rhywun yn cymryd lluniau ohono, i ni gael eu defnyddio i hyrwyddo'r cynllun.

– Pam fe? holodd yr hen ŵr, oedd ddim yn deall gair o'r hyn yr oedd hi wedi'i ddweud. Fforddiadwy? Beth oedd fforddiadwy?

41

– Achos ei fod e'n weithiwr caled . . . ac mi sylwais arno'n ceisio darllen un o'r papurau a'r olwg o rwystredigaeth ar ei wyneb wrth fethu.

– Dyw e ddim yn gallu canolbwyntio yn yr ysgol ac erbyn iddo ddod adre mae ei fam yn rhy flinedig i geisio'i ddysgu, a hithau prin yn medru darllen ei hun . . . Ond cofiwch un peth, da chi, os bydd e'n cael mwy o sylw na'r plant eraill, mi fydd yn darged. A fyddai Jaime ddim eisiau gorfod ymladd bob awr o bob dydd.

– O, mi wna i edrych ar ei ôl! A gyda llaw, a fyddech chi'n dymuno gweithio i mi eich hunan? Bydd angen i ni agor siop ar gyfer ein nwyddau newydd . . .

*

Mae Flavia wedi derbyn y cyngor o'r diwedd ac mae'n gorwedd o fewn muriau lliw hufen yr ysbyty General. Blincia'r peiriannau sy'n cofnodi ei phwysau gwaed a sut mae pwmp ei chalon yn ymdopi. Od sut mae bywyd rhywun yn troi'n bylse bach trydan ar sgrin; eto, ddim mor od, falle, o feddwl sut mae'r corff yn gweithio. Pryd fydd y sbarc ola i Flavia? Anfonodd ei gŵr i ffwrdd er ei fod yn gyndyn iawn o adael ei hochr. Ond mae hi'n gwybod na fydd e'n hir cyn dod yn ôl. Mae'n casáu bod bant am fwy na 'chydig funudau.

Pan ddaw Horacio drwy'r drws mae ganddo degeirian trofannol yn ei ddwylo, y gwythiennau sgarlad yn torri drwy bob petal coch, a phob un ohonynt yn edrych fel 'tai wedi'i naddu o gŵyr.

– O wlad Thai maen nhw'n dod. Mi ddwedodd y

42

señora yn y siop eu bod nhw'n symbol o lwc a hapusrwydd.

Roedd y gobaith yn ei lais yn ei niweidio hi. Pam roedd rhaid iddo fe ddiodde hefyd?

Edrychodd arno fel petai'n ei weld am y tro cynta. Hen ŵr yn gwisgo trowsus oedd ddwy fodfedd yn rhy fyr iddo, fel Charlie Chaplin, a'i wep yn llawn gobaith y gallai'r blodau yma o grombil jyngl ei gwella neu ddod â rhywfaint o oleuni i'w byd o gysgodion. Fe oedd ei hapusrwydd hi, ei Gogledd magnetig, ei llawnder corfforol, canolbwynt ei bywyd a chymar da oedd yn gwybod pryd i siarad, a phryd i wrando a phryd i brynu blodau. Byddai'n gwneud hynny bob dydd Sadwrn yn ddefodol a phlygeiniol, gan ymweld â'r hen Señora Sanchez ar ei stondin oedd wastad yn reiat o liw, a chael bargen bob tro oherwydd bod perchennog y *ciosco* yn ei nabod yn dda, yn enwedig y math o falchder henffasiwn oedd yn gorfodi rhywun i guddio'i dlodi ym mhob ffordd bosib. Fel prynu blodau i'w wraig pan oedd hi'n anodd prynu bara.

Roedd y golled, ei golli ef, mor ddinstriol â'r cancr. Dyna oedd yn difetha Flavia, nid y celloedd yn dyblu-dyblu oddi fewn iddi. Ni fyddai eto'n ei weld yn cyrraedd gyda chamelias, neu dusw o flodau menyn, neu un rhosyn urddasol yn gwisgo rhuban o silc yn union fel sgarff. Na'i weld yn gwneud y stumiau yna y byddai'n eu gwneud bob tro y byddai'n mynd heibio i'r drych. Na chlywed chwiban nodweddiadol ei chwyrnu pan oedd e'n cysgu'n drwm. Roedd eu cariad fel cwilt cynnes, a'r edau wedi'i rhaffu o fân atgofion, patrwm domestig y pethau bach disgwyliedig, disyndod, di-ffws: swn ei draed mewn sliperi yn cerdded o'r stafell molchi, ei hoffter o groeseiriau, cysur digamsyniol ei lais pan oedd hi'n codi'r nos mewn pwl o ofn. Ei gŵr, ei phartner am byth bythoedd. Cofiai dynerwch ei gusanau, pan fyddai ôl gwin coch ar ei wefus isaf a darnau o fara yn sownd yn ei ddannedd top, cusanau chwant a nwyd, gwres a thymestl serch, a'r rheini bellach yn gusanau sychion ar ei bochau crin.

Y peth gwaetha am farw, am adael y cocŵn blin o boen lle bu unwaith gorff nwydus, yw gadael Horacio. Y Charlie Chaplin gyda'r blodau sy'n sefyll o'i blaen yn disgwyl am y wyrth.

– Horacio . . . ar ôl imi fynd, paid â bod yn ynys. Cadw di at yr hen rwtîns. Cadw fy nghof yn fyw drwy wneud y pethau lyfli, cymhleth 'na ti'n neud drwy'r amser.

– Dwyt ti ddim yn mynd.

Mae'r dyn yn erfyn arni. Yn ymbil yn daer. Yn ei drowsus haff-mast.

Yn y stafell wen mae'r peiriannau'n ei chyfarch, a'u lleisiau'n isel, o barch.

Blîp, meddai'r peiriannau. Bore, da, Flavia. Blîp. Blîp. Ddim yn hir nawr.

Blîp. Blîp. R'ych chi wedi colli pwysau dychrynllyd, fenyw fach, ac mae'ch croen fel memrwn.

Blîp. Blîp. Mae eich stumog wedi chwyddo a'ch tu fewn yn llenwi â dŵr. Mae'r nyrsys yn dechrau bod yn hael 'da'r cyffuriau lladd poen, y tabledi porffor a glas sy'n llawn codin, yna'r rhai du a melyn sy'n cynnwys

44

rhywbeth ag enw mor hir fel nad oes neb yn gwybod sut i'w ynganu, a nawr y morffin yn dod lawr y tiwb sydd yn eich braich.

Drip. Drip. Drip. Blîp. Blîp. Blîp.

'Sdim llawlyfr ar sut i farw gydag urddas, achos mae pawb yn wahanol – rhai yn ddewr, rhai yn llwfr, rhai yn malio dim am y dydd i ddod neu hyd yn oed a fydd 'na ddydd i ddod. Mae Flavia am fynd gyda llaw sigledig ei gŵr yn ei llaw hithau, cysur ei wres, presenoldeb y dyn mae hi'n ei garu yn fwy nag anadlu. Ffrind bore oes. Partner tango. Arwr.

*

Heno mae Jaime a'i fam yn dawnsio: dyma'i hateb i'r cwestiynau am ei dad. Mae'n gorfod rhoi rhyw fath o ateb a thros y blynyddoedd llwyddodd i greu dyn dychmygol.

Roedd e'n dawnsio fel hyn.

Yn ei galon mae Jaime'n gobeithio y bydd y cof am ei dad, yr atgof ohono'n dawnsio gyda hi, yn ddigon i wneud iddi amau Manuelito. Ond mae ei fam yn deall hynny, ac yn siarad am y ddawns, nid am y dyn. Yna mae'n tasgu o gwmpas y stafell. Ac mae ei goesau fel plwm ac yn lletchwith wrth iddi hithau, ei fam, bron â chodi o'r llawr.

*

Roedd y ddau hen ŵr yn yfed coffi ac yn edrych yn synfyfyriol allan drwy'r ffenestr, ar y rhuthr o bobl yn eu cotiau glaw yn cerdded dan ymbaréls, a chwip y gwynt yn gyrru petalau'r coed jacaranda fel conffeti ar hyd yr *avenida*. Yn y stafell wely mae Flavia yn cysgu'n dawel. Dyw ei hanadl yn ddim mwy na chipanadl mochyn gini wrth iddi huno. Ac mae hi gartre. Does dim diben iddi fod yn yr ysbyty dim mwy.

– Mae hi'n gwanhau fesul munud bellach, meddai Horacio, ei fochau'n wlyb 'da dagrau.

– Ydy hi'n bryd i mi eich helpu chi mas? gofynnodd y doctor, gyda'r oslef broffesiynol yn ei lais. Roedd e wedi helpu sawl person i adael y byd hwn cyn ei amser, ac roedd ei gydwybod yn glir. Pwy fyddai'n dewis byw mewn poen a'i rhannu gyda'u teuluoedd?

– Bydd angen eich help, meddai Horacio, ond nid yn y ffordd yna. Mae hi eisiau gadael, ond nid i ddwylo Morphiws drwy ddefnyddio cyffuriau. O, ydi, mae hi am adael. Oes deng munud 'da chi i ddod draw i'r fflat? Mae hi'n cysgu'n sownd ar y foment. Mae gen i rywbeth i'w ddangos i chi.

Hen allwedd yn troi mewn clo enfawr a dau hen ŵr yn cerdded yn urddasol a phwrpasol i fyny'r grisiau marmor, heibio i'r rhesi o ddrysau caeedig ac yna i fflat sy'n dywyll a dim i'w glywed ond sŵn anadlu'r wraig ar ei gwely angau – fel sŵn bwjis mewn caets – a chyda'i fys ar ei wefus mae ei gŵr yn arwain y doctor i'r stafell fwyta, lle mae'n gweld cwch wedi'i wneud o bapurau dyddiol.

– Mae hi am fynd at yr afon am ei thaith olaf, medd Horacio, ei lygaid yn falch o arddangos ei waith llaw a'i lais yn llawn ofn.

– Taith? gofynnodd y doctor.

– Rhyw fath o wyliau, gweld llefydd newydd – archwilio 'chydig bach o'r byd estron. Dyw Flavia erioed wedi gadael Buenos Aires, chi'n gweld . . .

*

Yng nghlwb yr Ateneum mae pedwar ar ddeg o ddynion dylanwadol, pwerus mewn siwtiau duon, crysau gwynion a theis silc amryliw ond sobor, yn eistedd o gwmpas bord o goed tîc gafodd ei chreu bedwar can mlynedd yn ôl ac maen nhw'n edrych ar Gellhorn fel 'tai hi newydd gyrraedd o'r blaned Mawrth mewn llong ofod wedi'i gwneud o gaws drewllyd. Ond mae hi ar dân, yn argyhoeddiadol megis fflam, ac ar ôl ei chyflwyniad diwethaf i griw o ddynion oedd yn edrych yn debyg iawn i'r criw sydd o'i blaen heno, mae'n gwybod bod ei geiriau'n gweithio. Heno, y dynion sy'n dosbarthu ac sy'n berchen ar y siopau llyfrau yw'r gynulleidfa.

– Foneddigion, diolch yn fawr am eich amser. Ga i ddechrau drwy atgoffa pawb am rinweddau ein cymdeithas. Rydym yn byw mewn dinas lle mae 'na fil o siopau llyfrau ac ym mhob tre a phentre yn y wlad mae 'na siopau sy'n cadw'r llyfrau diweddara. Ond ers i werth y peso ddisgyn i'r gwaelodion mae llyfrau'n ddrud iawn – allan o afael y dyn a'r ddynes gyffredin. Dim ond wythnos yn ôl mi gwrddais ag Athro yn y brifysgol; llenyddiaeth gymharol yw ei maes ond dyw hi ddim yn medru cymharu'n ddigon eang oherwydd nad yw'r llyfrgell yn medru prynu nifer o gyfrolau iddi. Mae hi

eisiau astudio Asturias a Manguel a Quiroga ond dyw hi
ddim yn medru fforddio prynu'r cyfrolau ei hunan. Ry'n
ni'n genedl sydd wedi cyflwyno cynifer o awduron a
beirdd a sgwenwyr i'r byd . . . ond all ein plant ni ddim
fforddio darllen eu gwaith achos bod y llyfrgelloedd yn
wag. Ar gyfartaledd mae 'na restr aros o ddeugain person
am bob llyfr, sef deugain yn ormod. Mae 'na restr o ddau
gant yn disgwyl am gael darllen barddoniaeth Borges, un
o'n llenorion mwya, a hynny yng nghangen Atacama yn
unig. Felly ga i ddangos enghraifft o'r math o lyfr allai
fod yn ateb i'r broblem?

Estynnodd i'w bag a chyflwyno pedwar copi ar ddeg o
un o nofelau Sabato iddyn nhw eu harchwilio . . .

– Bydd pob cyfrol â chloriau cardbord a phob tudalen
yn bapur wedi'i ailgylchu gant-y-cant. Fe allwn ni
gyflwyno holl wyrth ein llên i bob plentyn yn yr Ariannin
am gan doler y pen gan fod golygyddion ein papurau
cenedlaethol wedi dweud y cawn ni ddefnyddio'u gweisg
nhw yn ystod y dydd am ddim, ac alla i ddim diolch yn
ddigon uchel iddyn nhw am eu cyfraniad amhrisiadwy.

Mae ambell un o'r rhai sy'n gwrando yn rhy
snobyddlyd i dderbyn y syniad ac yn credu taw dim ond
lledr sy'n ddigon da ar gyfer clasuron y genedl, yn
enwedig mewn gwlad gyda chynifer o wartheg ar y
pampas, ond mae eraill yn deall pwysigrwydd y
cydwybod torfol. Pan fydd Victor Sanchez, perchennog
cadwyn o siopau Las Galerias, yn dechrau clapio ac
wedyn gawcws o'i ffrindiau agos yn dechrau
cymeradwyo, o fewn amrant mae Phyllida'n gwybod bod
y diwydiant llyfrau yn gefn iddi. Yng nghledr ei llaw.

Dros yr wythnosau nesa – ac wythnosau, nid misoedd – mae'r cynllun yn blaguro, cyn dwyn ffrwyth. Bob dydd, lle gynt yr oedd gweisg y papurau dyddiol yn segur yn eu hunedau mawrion ar stadau diwydiannol, maen nhw nawr yn mynd ffwl pelt, ac yn arllwys y copïau cyntaf i'w rhwymo i lawr y lein. Mae rhai o brif artistiaid y wlad wedi gwirfoddoli i beintio'r cloriau eu hunain ac er bod rhai o'r lleiaf dawnus ymhlith y peintwyr yn gwneud fawr mwy na rhoi blotiau sydyn o liw ar bob clawr, mae eraill yn rhoi mwy na marc. Mae Girardelli, er ei fod yn ei nawdegau, yn cynhyrchu deg clawr y dydd, a phob un ohonynt ymhlith y pethau gorau mae e wedi'u gwneud erioed. Mae'n ffurfio cyfres o ddelweddau sy'n crynhoi yr hyn mae e wedi'i ddeall drwy gydol ei fywyd ac mae'r olaf un – penglog grisial gyda llygaid byw sy'n edrych allan i gyfeiriad diwedd y bydysawd – yn eicon newydd ei eni. Bydd naw cant o artistiaid wedi gweithio ar ugain mil o gloriau ar gyfer yr argraffiad cyntaf, sef barddoniaeth Jorge Luis Borges. Bydd rhai yn adlewyrchu eu broydd eu hunain, o wastadeddau anhygoel y pampas i ddrama ddaearyddol Tierra del Fuego. Bydd trigolion Salta yn dangos y drysau hardd sy'n nodweddiadol o'u dinas grand, fel drysau Sioraidd Dulyn, a bydd y bobl o dras Cymreig ym Mhatagonia yn llunio cloriau gyda stori'r *Mimosa* a hanes sefydlu'r hyn maen nhw'n ei alw'n Wladfa. Pob clawr yn dweud stori, yn union fel mae rhywun yn gallu darllen hanes brwydr ar wrn Groegaidd.

Yn y lansiad, yn y Libreria Grand Splendid, y siop lyfrau fwya yn Ne America, gyda thros filiwn a hanner o gyfrolau ar y silffoedd, mae'r gwleidyddion yno yn eu siwtiau Armani, a'r wasg yno gyda'u hwynebau wenci, a *gliteratti* Zona Norte, lle mae tai'r crachach yn estyn yr holl ffordd o Olivos i San Isidro. Mae 'na gerddorfa bres gyda dros ddau gant o aelodau, a gwledd o fwyd, ac ocsiwn ar gyfer y gyfrol gynta un sy'n apelio at chwant y bobl gyfoethog i arddangos eu harian fel mae eu gwragedd yn cario bagiau drudfawr Hermes a Prada. Mae'r arwerthwr yn denu crocbris oddi wrth El Capitan, perchennog y clwb hwylio yn Puerto Olivas, ac mae yntau'n hapus i sefyll o flaen y dorf a chyflwyno'r copi i'r Llyfrgell Genedlaethol. Am steil.

Ar y mur y tu allan i foethusrwydd a phrysurdeb y Libreria mae bachgen bach yn gwenu oddi ar boster enfawr. Mae ganddo gopi o lyfr yn ei law. Bydd Jaime yn tyfu i fod yn symbol o'r ddinas ac, yn wir, o'r wlad: ei wyneb ar bosteri'n serio yn y cof, fel y gwnaeth plentyn newynog yn Biaffra unwaith, neu fel y crwtyn pathetig sy'n hysbysebu *Les Misérables* ar daith diddiwedd y sioe gerdd o gwmpas y byd. Ond, yn wahanol i'r rheini, mae 'na urddas a gobaith yn perthyn i'r ddelwedd ohono. Ie, Jaime fydd yn ennill gwobr Pulitzer yn America un diwrnod ac yn cael ei wahodd i bob un o brifysgolion gorau'r byd. Wyneb gwell dyfodol i'w famwlad.

Achos bydd 'na lyfrau cardbord am ddim i bob un o drigolion yr Ariannin a phapur rhad i bob ysgol ac, fel y bydd Jaime yn dadlau o flaen y Cenhedloedd Unedig – mewn cyfarfod arbennig o UNESCO i drafod anllythrennedd – er gwaetha'r faith fod cynifer o lyfrau bellach i'w cael ar y we a theclyn sy'n perswadio rhai i ddarllen llyfr ar y sgrin, ni all yr un o'r rhain gystadlu â llyfr yn eich llaw.

Ym mis Mai 2023 bydd Jaime yn siarad yn siambr y Cenhedloedd Unedig yn Efrog Newydd, a fydd ganddo fe ddim gair o sgript, dim ond tân yn ei fol . . .

– Oherwydd mae rhywun yn darllen gyda'r dwylo yn ogystal â'r llygaid. Pan fydd rhywun yn darllen un o straeon Arthur Conan Doyle, er enghraifft, mae'r llaw yn gwybod taw dim ond hyn a hyn o dudalennau sy'n weddill, gan ddechrau ras rhwng y darllenydd a Sherlock Holmes i ddatrys y dirgelwch.

Ond mae hynny yn y dyfodol ac mae hwnnw'n eiddo i ddamcaniaethwyr fel William Gibson a Phillip K. Dick am y tro. Peth da yw gwybod y bydd bywyd Jaime yn troi mas yn dda, ta p'un.

*

Mae'n rhaid i'r noson ddod, y noson pan fo angau, fel tylluan, yn cyrraedd yn ddi-sŵn i ddal llygoden fach ei hysbryd rhwng ei chrafangau dur, y gwaed yn twchu, yr arennau'n dod i ffwl stop. Ond cyn gall y dylluan ddod, mae'n rhaid i'r organau fethu, pob un ei thro, pob un yn ôl y patrwm, a benderfynwyd cyn iddi gael ei geni.

Yn y Llyfrgell Fawr mae 'na lyfr sy'n dweud sut y'ch chi'n mynd i farw ond, oherwydd nad oes yna ddim diwedd ar y nifer o lyfrau sydd ar y silffoedd sy'n ymestyn i bob cyfeiriad, mae yno lyfrau sy'n rhoi fersiwn ffals o sut y daw'r dylluan ac, wrth gwrs, yn rhywle mae 'na lawlyfr hefyd sy'n dweud sut i weithio mas pa lyfr sy'n wir a ph'un sy'n anwir. Ond 'sdim digon o amser 'da Flavia i grwydro'r coridorau diddiwedd. Mae'n amser iddi ddisgwyl nawr, disgwyl o ddifrif. Gyda'i chlust yn erbyn y glustog mae'n medru clywed tympani ei chalon, rhythm o hirbell, neu adlais sŵn calon ei mam pan oedd Flavia'n nofio drwy'r hylif amniotig saith deg chwech o flynyddoedd yn ôl.

Wyth mlynedd yn ôl trefnwyd beddau ar eu cyfer yng nghornel y fynwent fwya hanesyddol yn y ddinas ar ôl i Horacio ennill loteri arbennig. Y brif wobr oedd bedd i ddau ym mynwent Recoleta, lle na allen nhw byth fforddio cael eu claddu ynddo, yno ymhlith y pwysigion yn eu cestyll oer. Gyda'r tocyn lwcus, a gostiodd gyn lleied â phris paned o *espresso doble*, mae ganddyn nhw gell drigain llath yn unig o fedd Eva Peron. Mae hi wedi'i chladdu'n ddwfn dan sawl haen o goncrit i sicrhau na fydd unrhyw un yn dwyn ei chorff, fel ddigwyddodd 'nôl ar y noson syfrdanol honno yn 1955.

– Rwyt ti wedi ennill *beth,* Horacio?

Cynhaliwyd y seremoni wobrwyo wrth brif fynedfa'r fynwent gyda neb llai na maer Buenos Aires yno i gyflwyno'r peth wobr, gyda Miss Asuncion a oedd wedi hedfan i fewn yn arbennig. (Pam rhywun o Paraguay yn hytrach na'r Ariannin, meddech chi, yn amlwg wedi eich siomi? Wel, am fod y lodes lân yn siafio'i bicini lein ar gyfer y maer yn ôl y sibrydwyr-sy'n-gwybod, y bobl hynny sy'n gwybod taw gwybodaeth yw pŵer.)

Yno, ar ôl i'r maer a'i osgordd hen ddiflannu, dan ddwy golomen farmor roedd Horacio a Flavia wedi cynnau cannwyll fach yr un i'w gosod ar y silffoedd bach oddi fewn, lle bydd eu llwch yn gorwedd.

Mae'r ddau hen ddyn dan eu pwn wrth gario'r hen fenyw er nad yw hi'n pwyso'r nesa peth i ddim – wyth torth o fara ar y mwya – ond wrth iddynt droi cornel y staer mae'r bachgen sy'n byw yn Rhif Tri yn dod allan, fel tase fe'n gwybod y byddai angen ei gyhyrau, ac mae'n gwthio ei hunan dan y cwch bach gan ddefnyddio'i ben a'i ysgwyddau i gymryd y pwysau. Tu allan i'r drws ffrynt mae 'na gert syml ac mae'r tri yn gosod y cwch a'i gargo anhygoel yno, ar yr elor dros dro.

A chân o 'mhell bell yn ôl yn atsain ym mhenglog Horacio o dan ei het ffedora – cân am brynhawn llwyd ac absenoldeb cariad. Dyma sy'n mynd trwy ben yr hen ddyn wrth iddo wthio'i wraig, Flavia, at ei thaith olaf. Dychmygwch gyfeiliant sensitif a thawel . . .

Qué ganas de llorar en esta tarde gris!
En su repiquetear la lluvia habla de ti.
Remordimiento de saber
que, por mi culpa, nunca,
vida, nunca te veré.
Mis ojos al cerrar te ven igual que ayer,
temblando al implorar de nuevo mi querer . . .

Gymaint y mae'r dagrau'n cronni, y prynhawn llwyd hwn. Tincian y glaw, mae'n siarad amdanat.

Mae'r ddinas yn dawel wrth i frws rhyw artist anweladwy ychwanegu haen newydd o lwyd nes bod y llwyd yn troi'n ddu – dim ond ambell dacsi'n cludo

53

meddwon 'nôl i'w gwlâu. Mae Jaime'n ceisio gweld beth sydd yn y cwch bach ac yng ngoleuadau'r stryd mae'n edrych fel menyw mewn gwisg wen ond all e ddim bod yn siŵr.

Dyw'r hen ddynion ddim yn siarad o gwbwl, dim ond sŵn eu sgyfaint yn rhathu, yn gweithio fel megin wrth iddynt wthio'u ffordd i lawr un stryd ac yna i lawr un arall cyn cyrraedd y parc sy'n arwain at yr afon. Yn y pellter mae'r fflam-wastad-ynghynn sy'n cofnodi brwydrau gwaedlyd y Malvinas yn llosgi yn y parc ger Edificio Kennedy, ond dyw Horacio ddim yn gweld y fflam, na siâp ei ffrind yn cerdded gam wrth gam y tu ôl iddo. Mae ei feddwl yn llawn rhubanau amryliw o atgofion, sy'n cymysgu ac yn nadreddu'n un llif di-dor.

Gwefusau fel ceirios yn un gusan hud drwy gydol yr haf, yr haf cynta ysblennydd hwnnw pan oedd e ar dân 'da nwyd a chwant, a hithau'n chwarae'n saff ac yn riglo o'i freichiau pan fyddai pethau'n poethi; yr olwg yn llygaid ei thad pan wnaethon nhw gwrdd am y tro cyntaf; y ddawns gyntaf yn neuadd les Armenia ac yntau â thair coes chwith a hithau'n codi oddi ar y llawr fel 'tai hi wedi ennill sgarmes yn erbyn disgyrchiant (ac yn y parc, wrth iddynt gerdded ar hyd y llwybr arian oherwydd gwlith y bore, yr adar yn canu yn y llwyni a'r digartref yn dechrau ystwyrian yn eu gwestai cardbord). Ac mae Horacio yn cofio ei chwerthin, rhaeadrau gwynion o hapusrwydd – y sŵn gorau yn y byd – a blas croen ei hysgwyddau, oedd yn felysach na chroen ei chefn.

Un diwrnod dywedodd wrthi ei fod wedi cusanu pob rhan ohoni bellach ond hithau'n dweud dim cweit, cyn cyflwyno'i chyfrinach ddyfnaf iddo. Yntau, yn y tywyllwch, yn ei blasu hi'n hallt ac yn teimlo llosgfynydd ar ei dafod wrth i wres ei wraig fygwth rhoi ei wallt ar dân (ac mae llinell danjerîn ar y gorwel wrth i'r haul ddechrau tanio'r diwrnod hwnnw hefyd yn y cof).

Roeddent ar lan yr afon nawr, yn ymyl y cwrs golff-giamocs, a dywedodd y doctor y byddai'n syniad cynnal defod o ryw fath.

– Defod?

– Ie, hyd yn oed i ni, ddyneiddwyr, dwi'n credu y dylai rhywbeth ddigwydd i gofnodi . . .

Ond cyn iddo allu gorffen y frawddeg dyma'r hen ŵr yn dechrau mwmian canu un o'r hen ganeuon, un o'r caneuon cyntefig, bron, a'r bachgen, Jaime, hefyd yn ymuno ag ef mewn nodau pur wedi'u bwrw o aur, ac yna'r doctor yn rhoi sylfaen solid o fariton melfedaidd wrth iddynt godi'r cwch a'i osod yn ddestlus ar y dŵr. Am rai munudau ni symudodd y cwch bach, nes i Horacio chwilio am ddarn o bren a rhoi proc bach i gychwyn siwrne olaf ei wraig, yn y cwch a'i ochrau délicet yn cario newyddion am y flwyddyn y cafodd ei tharo'n wael. Wrth iddi ddechrau symud gyda'r llif edrychai fel alarch – yn nofio'n osgeiddig, a newidiodd y gân wrth i ddagrau hen ŵr gronni yn ei wddf ac i'r gwacter oddi fewn oedd yn waeth na newyn, droi ei ganu'n udo. Udo fel asyn gwyllt.

Wrth i'r cerrynt ddechrau cipio'i wraig, trodd y gân yn grawc o alar a chymerodd y doctor law'r crwtyn a sefyll yno'n gwylio'r cwch bach yn symud yn gyflymach erbyn hyn. Er ei fod wedi'i wneud o bapur, dyw e ddim yn suddo ond yn hytrach mae'n edrych yn gadarn, yn codi lan a lawr ar y tonnau bach, fel tase fe wedi'i lunio o rwber, ac yn symud draw tuag at geg yr afon, lle mae coed mawr ar y llif yn berygl i unrhyw gwch – heb sôn am un sydd wedi'i wneud o hen gopïau o *La Nación* a *La Cronista* ac *Ambito Financiero*. Ar ôl hanner awr sy'n teimlo fel Oes yr Iâ i Horacio, mae unrhyw sŵn bellach wedi'i ddal yn llwnc yr hen ddyn ac mae'r tri ohonynt yn llygad dystion i'r ffaith fod y *señora* ar ei ffordd allan i'r môr. Cariad mawr fy mywyd. Ffarwél. *Hasta mañana. Hasta luego.*

Tri dyn ar erchwyn y tir yn edrych ar gwch bach yn troi'n smotyn cyn diflannu. Iddyn nhw roedd cerdded sha thre'n siwrne hir, fel cerdded hyd ddiffeithwch wyneb y lleuad – Jaime yn cofio'i llais hi, y doctor yn cofio'i hurddas hi a Horacio'n cofio'i gwên hi, a'r cacennau bach y byddai hi'n eu crasu ar fore Sul – rhai bychain gyda hetiau o siwgr eisin. Y rheini a phopeth tyner, doniol, addfwyn a dibynadwy obutu hi, ei wraig absennol, ei gymar diflanedig.

Pan gyrhaeddodd y tri'r man lle roedd yn rhaid iddynt adael ei gilydd fe wnaethon nhw hynny heb ddweud gair, jyst nodio'n ffurfiol.

Y noson gynta hebddi teimlai Horacio fel petai rhywun wedi mynd â'r gwres a'r goleuni o'i fyd. Gwely gwag a siâp corff aderyn ei wraig yn dal i'w deimlo ar y fatras, oedd yn oer dan ei fysedd wrth iddynt ffereta. Estynnodd y gwydr ar y bwrdd wrth y gwely at ei wefusau a chymryd dracht sylweddol o'r ddiod feddwol. Ni fyddai'n codi nes bod angel Duw yn dweud ei bod yn bryd iddo fynd i'w gweld hi. Dros amser, fe alwodd y doctor sawl gwaith, ddydd ar ôl dydd, gan guro ar y drws nes bod ei figyrnau'n gwichian, ond roedd yr hen ddyn naill ai'n rhy feddw neu'n rhy styfnig i godi o'i wâl.

Ond yna, un bore, mewn niwl o alar a chur pen fel 'tai gof wedi bod yn taro'i ben gyda morthwyl, gan droi ei benglog yn eingion, mi gofiodd yr hen ŵr stori ei wraig am ei hymgais i gysylltu ag e o'r tu hwnt i'r bedd. Chwiliodd am y llythyr o'r brifysgol.

Dr Sophocles oedd pennaeth yr adran – enw doeth, a dweud y lleiaf, ac mi ffoniodd Horacio ef o'r bar dros y ffordd gan ofyn mewn llais crynedig a oedd ei ddiweddar wraig wedi cysylltu eto. Atebodd y gŵr ar ben arall y lein nad oedd 'Dim byd wedi dod trwyddo eto', gan wneud iddo fe swnio fel 'tai rhywbeth yn dod trwyddo yn ddigon aml.

Ac o'r alwad ffôn honno ymlaen fe ddechreuodd Horacio ei hun geisio cysylltu â Flavia. Dechreuodd trwy wneud yn siŵr fod ganddo bensil a phapur bob amser. Prynodd abacws plentyn ac ambell waith byddai ei law sigledig yn hofran uwchben y papur, ei feiro'n barod, gan obeithio gweld y cod yn cael ei sgrifennu lawr gan law anweladwy yn arwain ei law yntau. Ond ni ddaeth y cod . . .

. . . ni ddaeth 4557759990003428190 byth drwyddo o'r gwacter mawr.

*

Gwnaed trefniant y byddai Manuelito yn mynd â Jaime allan i frecwast – un cyfle arall, y cyfle olaf, efallai, i sefydlu pont rhwng dau gyfandir oedd mor, mor bell oddi wrth ei gilydd. Roedd y fenyw Fecsicanaidd anferth yn enwog am yr *huevos rancheros* gorau yn y bydysawd ac roedd Jaime wedi edrych i fewn drwy ffenestr y lle fwy nag unwaith gan ryfeddu at y nifer o bobl oedd yn barod i sefyll yn amyneddgar i gael bwrdd er mwyn bwyta wyau. Ond nid wyau cyffredin mo'r rhain; yn hytrach, rysáit hanner hudol yr oedd mam-gu Claudia Benitez wedi'i roi iddi mewn amlen dan sêl gyda'r gorchymyn na ddylai ei hagor tan ar ôl ei dyddiau hi ymhlith y byw.

– Dwi'n clywed dy fod wedi cael cynnig swydd go iawn, dywedodd Manuelito, ac efallai fod a wnelo'r wyau a'r pupur coch a'r paprica melys a'r *chorizo* a'r menyn o Junin rywbeth i'w wneud â hyn ond mi ddechreuodd Jaime 'weud y cwbl lot. Soniodd am y fenyw, Señora Gellhorn, oedd wedi'i weld ar y stryd un noson a sut roedd hi wedi trefnu iddo fynd i stiwdio'r ffotograffydd mwya enwog yn y wlad i fod yn fodel ar gyfer cyfres newydd o gloriau llyfrau, yn dilyn llwyddiant y posteri. Sut roedd hi wedi cynnig gwaith i'w ewyrth 'fyd. Yna mae Jaime'n estyn i'w fag a chyda balchder fel golau arc-lamp oddi fewn iddo yn gwneud i'w wyneb ymdebygu i sant mewn ffresgo, mae'n dangos y llyfr cynta oll a ddefnyddiwyd gan y *señora* i berswadio neb llai na chyn-arlywydd y wlad i rhoi sêl a bendith i'w chynllun. Mae'n estyn y llyfr i'w ffrind, cyn iddo sylweddoli, bron, ei fod yn ei ystyried yn ffrind ac mae Manuelito'n dechrau darllen:

– Na, nid o'r dechrau, meddai Jaime. Dwi wedi

clywed hwnna o'r blaen. Alla i gael darn o'r canol er mwyn i mi glywed sut mae pethau'n dod yn eu blaen?

Ac mi ddechreuodd Manuelito ddarllen:

– Roedd cysgod marwolaeth dros wyneb y ferch fach. Mi allwch ddisgwyl colli mam neu dad neu hyd yn oed y ddau, ond mae colli brawd fel torri trefn natur, fel Señora Macbeth yn rhwygo'r baban o'i chrombil cyn ei amser.

– Dyw hon ddim yn stori hapus iawn, medd Jaime, drwy ei geg llawn *huevos*.

– Nac ydy, meddai Manuelito, ond dim ond saith math o stori sydd 'na yn y byd, ac un ohonynt yw'r stori drist.

– Beth yw'r lleill? gofynnodd Jaime.

Ac wrth i Manuelito ddechrau eu rhestru nhw – y mathau o naratifau roedd e wedi dysgu amdanynt yn y dosbarth nos am lenyddiaeth eu gwlad, a sut roedd nofelau wedi delio 'da'r cyfnod du pan oedd pobl yn diflannu a barddoniaeth wedi methu mynd i'r afael â'r ffaith fod y Malvinas wedi'u colli, a bod yr holl *chicos* aeth i ymladd yno heb na phensiwn na pharch – edrychodd Jaime arno o'r newydd. Ar y jiwcbocs roedd 'na dôn oedd yn gyfarwydd iawn iddo; roedd wedi'i chlywed droeon wrth wrando'r tu allan i ddrws yr hen gwpwl. Cyfeiliant piano'n dyner fel anadl baban . . .

Llega el viento del recuerdo aquel
al rincón de mi abandono
y entre el polvo muerto del ayer,
también volvió tu querer.

59

Yo no sé si vivirás feliz
o si el mundo te ha vencido . . .
si viviendo sin querer vivir
buscás la paz de morir . . .

Yn fy nghornel mae atgof fel awel yn fy nghyrraedd,
Ac ynghanol llwch mawr ddoe,
Teimlaf fod dy gariad wedi dychwelyd.
'Sgen i ddim syniad a fyddi di'n byw yn hapus
Neu a fydd y byd yn dy faeddu di,
A wyt ti'n byw heb eisiau bywyd,
A wyt ti'n chwilio am hedd drwy adael tir y byw.

Yn y fynwent yn Recoleta mae cwrcyn o gath yn piso'n hir yn erbyn marmor bedd gwag Horacio a Flavia, ond tu fewn mae 'na wyth bwndel o ffwr – cathod bach wedi'u geni yn y nos sy'n ymsuddo i wres eu mam, a'i thethau'n brifo gan mor newynog ydynt.

Lawr ar lan yr afon mae'r tonnau mawr sy'n torri yn canu'n *basso profundo*, a sŵn trwm y dŵr fel ergydion deinameit o bell. A thros yr islais mae sŵn tenoriaid yn torri'n uwch, nodau sy'n esgyn ar adenydd ton, a dyma wylanod y *kelp* a gwylanod penllwyd yn ymuno yn y gytgan, pob un ohonynt yn canu'n braf, fel Gardel a'i fariton perffaith yntau. Ac mae 'na hiraeth yn nghri'r gwylanod, fel yn ei lais ef, ond hiraethu am benwaig maen nhw tra bod yntau'n hiraethu am gariad, yn ôl yr arfer.

Allan ar y môr roedd y cwch bach yn codi a disgyn ar donnau oedd yn mynd yn fwy, a hithau bellach yn dymor y corwyntoedd; codi a disgyn i rhythm bas dwbl y tonnau, i fyny ac i lawr fel dwylo sant wrth esbonio gwyrth.

Ac un albatros, ar ei daith hir o Seland Newydd, yn arwain y ffordd.

Allan ar y Môr

Nid yw'r dynion yn ôl yn eu cartrefi cyn bod pethau'n newid allan yn yr aber, wrth i bycsiot o law dasgu i lawr yn un ergyd o gymylau duon ddaeth i mewn o nunlle ar garlam wrth i'r gwynt droi'n anadl ffyrnig oer. Ar ei siwrne bydd cwch bach Flavia'n wynebu'r bali lot. Gwyntoedd o bob cyflymdra a chyfeiriad. GGGn, Gn, GGn ac unwaith y gwyddonol amhosib DnGn. Y Barber, Cape Doctor, Simoom a'r Blue Norther; y Palu, y Mauka a'r ffyrnig Knik. Chwyth y Sirocco, Santa Ana, Cordonazo a'r Papagayos yn eu tro ond heb ei niweidio hi. Ar wyntoedd mwyn fel y Sundowner a'r Cockeyed Bob, symuda'n osgeiddig a sidêt. Ond, gan amla, mae 'na bethau dipyn gwaeth. Daw hyrddwynt, corwynt, trowynt, stormwynt, chwythwynt i geisio'i thaflu hi oddi ar ei llwybr. Bydd y peryglwyntoedd yn chwythu'r cwch i bob cyfeiriad, ac o bob cyfeiriad – caswynt yn troi'n llymwynt, oerwynt yn plethu 'da glaw-wynt, niwlwynt yn cuddio gwallgofwynt, ond hyd yma, dim diwedd-y-byd-wynt, yr un sy'n chwythu unwaith ac am byth. Bydd 'na donnau seis Tŵr Eiffel a mwy, lot mwy, maint Tŵr Sears, eglwysi cadeiriol gwlyb a gwyrddion, llif Chartreuse sy'n symud yn syth amdani, ei chlychau'n wyllt a thunelli di-ri o ddŵr yn mynnu disgyn i lawr o frig y don i geisio'i dryllio.

Pe byddai hi mewn llong enfawr fel yr *Ark Royal* mi

fyddai'n ddigon peryglus. Yn ei chrud o bapur mae'n anhygoel nad yw hi wedi suddo. Hyrddiwyd y cwch bach o un ochr i'r llall, dros un dibyn serth o don sydyn i chwip o un arall, cyn symud i ganol gêm fideo. Gêm fideo?

Ddau gan milltir i ffwrdd a thair awr yn gynharach bu storom anhygoel o bwerus uwch glan yr afon. Tynnwyd coed i'r dŵr, coed mawr cryfion oedd wedi sefyll am flynyddoedd, a daethant i lawr gyda'r lli yn foncyffion a dail a brigau i gyd. Gallai pob un ohonynt fod wedi troi'r cwch bach yn bwlp a byddai'r albatros – oedd yn dal i ddilyn yn ffyddlon, fel aderyn anwes, neu fasgot – wedi sylwi bod y cwch yn cael ei symud gan rywbeth i osgoi'r peryglon, yn union fel 'tai rhywun yn defnyddio joistic ar Xbox neu Sony PlayStation. Boncyff enfawr yn dod o gyfeiriad naw o'r gloch. Draw â hi i ddiogelwch canol y sianelau. Tri chan pwynt a bywyd newydd arall. Ping! Dwy goeden yn rhuthro'n syth amdani. Fflic bach i'r chwith a dyna ni wedi'u hosgoi nhw'n hawdd. Chwe chan pwynt. Coeden mor fawr fel bod 'na fwncïod yn dal i ddawnsio'n wallgo ar y brigau sydd bron yn llenwi'r sgrin. Defnyddio'r bywyd sbâr a neidio i'r sgrin nesa. Bonws. Ping! Ping! Y sgôr uchaf heddiw. Llongyfarchiadau.

Ac mewn cyfres o symudiadau gwyrthiol aeth cwch bach Flavia allan i wir aber yr afon lle roedd 'na beryglon newydd. Daeth llong enfawr, y *Cape of Good Light*, yn cario 30,000 o focsys metel enfawr yn syth amdani a bu o fewn llathenni i gael ei boddi ond eto, roedd fel petai Duw'r Afon yn ei gwarchod cyn trosglwyddo'r awenau i Dduw'r Môr.

63

Dros yr wythnosau, symudodd gyda'r cerrynt a chyda'r gwynt, drwy storom a diwrnodau o des annisgwyl pan oedd y môr fel llyn ynghanol parc. Llithrodd y cwch bach yn ei flaen yn urddasol ond ni symudodd Flavia o gwbl, y deithwraig anhygoel.

Ambell waith byddai cri aruthrol o uchel bron â hollti'r gorwel yn ddau – sŵn Horacio'n udo'i boen, sŵn a gariai o'r fflat dros wastadeddau gwyrddion y môr. Methai anadlu oherwydd y galar, y boen oedd fel gafael yr Iron Maiden gynt, cot haearn i gaethiwo'i frest. Roedd hi ar daith hebddo, mewn cwch a adeiladwyd ganddo gan ddefnyddio cariad fel glud a gobaith i lenwi'r hwyliau.

Cwch papur oedd e, ond er hynny roedd fel magnet. Glaniai adar ymfudol ar ei fwrdd, ac roedd un derot bach, gwanllyd wedi glanio ar lygaid cau Flavia, a edrychai fel cerflun. Ac roedd yr albatros yno bob dydd, yn cysgu ac yn hedfan yr un pryd.

Ni fydd yr aderyn yn ei dilyn hi yr holl ffordd, wrth gwrs. Fe fydd yn rhaid iddo droi yn ôl cyn hir achos mae'n bell, bell o gartref.

Roedd yr aderyn wedi cael cyfnod reit picarésg cyn gweld y cwch bach a'i ddilyn. Ynys Campbell oedd man ei eni, craig o le ger arfordir ynys y de. Gan ei fod yn aderyn ifanc roedd awydd crwydro arno, a dim diléit mewn chwilio am gymar. Gwelodd Begwn y De, gan hedfan dros erwau diddiwedd o iâ a chwyrlïo drwy gorwyntoedd yr Horn, lle gwelodd bengwiniaid di-ri, pob un ohonynt mewn *tuxedo* newydd. Ymosododd sgiwen arno, gan dynnu gwaed o'i ochr, ond hedfanodd ymlaen, wedi profi ei ddewrder a rhoi hwb o hunanhyder iddo'i hun. Erbyn iddo gyrraedd arfordir De America roedd wedi blino a drysu, a daeth dau ymchwilydd biolegol o hyd iddo yn gorff eitha llipa ar draethell unig ym Mhatagonia. Eto, ar ôl wythnos o fwyta bwyd ci, a mwynhau cwmnïaeth y ci – lab du o'r enw Mascot gyda thafod gwlyb a chyfarthiad annwyl – teimlai'n ddigon cryf ac ewn i fentro ymaith unwaith yn rhagor. Byddai'n ddwy flynedd arall cyn y byddai'n dilyn adar yr un ffunud â fe at Drwyn Otago a dwy flynedd arall cyn y byddai'n edrych i lygaid newynog ei gyw cynta.

Mae'r cwch yn symud yn gyflym, drwy ddilyn ras y gwynt a phyls y cerrynt. Pan fo'r gwynt yn tawelu daw mamaliaid y môr ambell waith i wthio'u trwynau dros yr ymyl ac mae morfilod hefyd yn cael eu denu mewn ffordd nad ydyn nhw'n ei deall, ond yn cael eu tynnu, ta p'un, fel y reddf sy'n eu denu o Alaska i Gulfor Cortez ac yn ôl drachefn.

Aeth drwy Fôr Sargasso a chroesi Triongl Bermuda (a dod allan yn saff, yn wahanol i gynifer o gychod, fel y *Marionetta*, y *Giant Sook*, *USS Cyclops* a'r *SS Marine Sulphur Queen* a nifer anhygoel o awyrennau, gan gynnwys pum awyren ryfel o America, yr enwog 'Sgwadron Coll'). Uwchben ffos danddwr ddyfnach na'r dychymyg, rywle tu hwnt i'r gorwel, denodd y cwch bach sylw un o wir fwystfilod y dyfn-le, Lefiathan hanner milltir o hyd, a gododd i'r wyneb er gwaetha'r ffaith nad oedd wedi gwneud hynny fwy na dwywaith yn ei holl fywyd. Gwddf hir fel brontosawrws. Ceg fel ogof fawr. Dau lygad dall uwchben ffroenau oedd fel twneli ynddynt eu hunain. A phan dorrodd y pen drwy wyneb y dŵr roedd e fel tŵr hudol yn codi'n urddasol, gan weld golau dydd am y tro cyntaf ers oes y Pleistosen.

Bu bron i beiriannau sonar a radar y *Nisshin Maru*, prif long y llynges hela morfilod, fynd yn wallgo. Roedd eu taith o Shimonoseki wedi bod yn un hir a llongau Greenpeace a Sea Shepherd yn boen tin iddi hi a'r tair llong arall yn y fflotila, gan geisio rhwystro pob peth roeddent yn dymuno'i wneud. Byddai'r Capten wedi bod yn ddigon hapus i lywio'i long yn syth at y diawled oedd yn dangos cymaint o amharch at berthynas ei bobl â'r môr.

Yng ngogledd America, yng nghymunedau pell yr Arctig, roedd 'na bobl yn cael caniatâd i hela morfilod ac eto roedd yr Americanwyr rhyddfrydol, sofft yma'n dod ar ei ôl yn eu cychod ac yn chwarae mig. Pam ddim Siapan hefyd, yn enwedig â phoblogaethau'r morfilod yn codi fesul blwyddyn. Yn eironig iawn, roedd y môr wedi bod yn wag. Dim byd am filltiroedd. Byddai'n rhaid iddynt deithio i lawr i warchodfa morfilod y de. Ac yna aeth y deialau'n wyllt. Rhywbeth yn debyg i siâp cocŵn iar fach yr haf . . .

– Mae 'na siâp enfawr yn y dŵr! Un o'r morfilod gwyn mwya dwi erioed wedi'i weld, cam-adnabyddodd Lefftenant Kawabata.

– Awn ni amdani. Llwythwch yr harpwne!

– Syth bìn, Capten.

Gallai'r *Rainbow Warrior III* fod wedi eu hachub. Efallai. Erbyn i griw y *Nisshin Maru* sylweddoli eu camsyniad – eu bod nhw'n dilyn bwystfil maint bloc o adeiladau yn Tokyo drwy'r dŵr (a heb yn wybod, dilyn llo'r fam Lefiathan oedden nhw) – roedd y fam ei hun, wrth boeni am ei hepil wedi codi ei chynffon drwy'r dŵr nes dinistrio'r llong-ffatri yn gyfan gwbl, gan ddanfon y criw yn ddarnau bach gwaedlyd i gwpwrdd Dafydd Jôs. Difrodwyd y llong fel tase bom wedi ffrwydro yn ei chrombil dur. Un foment roedd y llong-ffatri, perl y llynges, yn hwylio ffwl stîm ahed a'r peth nesa roedd hi'n yfflon.

Erbyn i'r *Warrior* ymnesáu roedd hi'n amlwg nad oedd neb wedi goroesi'r trasiedi. Suddwyd y llong ar amrant, ond gan beth? Roedd y biolegwyr ar fwrdd yr *Warrior* yn amau iddyn nhw weld creadur o ffilm Steven Spielberg ond er i'w cyfrifiaduron ddilyn ei lwybr wrth iddo blymio i lawr, fe ddaeth yna bwynt pan oedd wedi mynd yn bellach na'u technoleg. Yn bellach na'u dychymyg, efallai.

Welodd yr un ohonynt y cwch bach aeth heibio ar ei ffordd yn dawel bach, bant o'r gyflafan, wrth i'r bwystfil chwedlonol lithro i lawr i ddiogelwch dŵr sydd fel bola buwch, a'i lo maint stadiwm pêl-droed yn sownd wrth ei gynffon.

*

Gallai llong Flavia fod wedi cyrraedd unrhyw borthladd gan ei bod yn symud fel y gwynt, fel ysbryd. La Guaira, er enghraifft, y fynedfa i Caracas, dinas sydd wedi disgyn i wallgofrwydd, i'r Canol Oesoedd. Un llofruddiaeth bob deugain munud mewn prifddinas sydd heb ffydd o unrhyw fath mwyach a thrwch y boblogaeth wedi troi at *voodoo*, gan addoli gansters 'di marw drwy osod sigârs bach yng nghegau eiconau tsieina o ddynion uffernol fu'n teyrnasu dros eu strydoedd a'u *barrios* 'nôl yn y chwedegau. Maen nhw'n addoli trais yn y lle dieflig hwn. Dyna pa mor wael yw Caracas. Maen nhw'n cracyrs yn Caracas.

Neu beth am Dar es Salaam, yn nwyrain Affrica. Lle paradwysaidd ar un olwg. Sianel o ddŵr lapis-laswli a gwyrddlas lle mae'r dhowiau'n hwylio 'nôl a blaen i Zanzibar, gan gario perlysiau a chnau coco. Mae 'na dlodi yma – a does neb yn medru bwyta'r tirlun – ond wrth i'r haul godi'n belen arian uwchben y traethau mae 'na deimlad fod bywyd yma'n dda. Eto, mae yma bla o lofruddiaethau – plant albino gan amla, yr 'ysbrydion' neu'r Zeru, sy'n cael eu lladd ar gyfer defodau'r gwrach-ddoctoriaid.

Un noson cafodd menyw o'r enw Salma orchymyn gan y dynion hysbys hyn i wisgo'i merch fach walltwyn mewn du o'i chorun i'w sawdl a'i gosod i gysgu mewn caban ar ei phen ei hun. Deallai Salma fod angen iddi ufuddhau i hynafgwyr y llwyth. Rai oriau yn ddiweddarach aeth dynion i'r cwt a thorri coesau'r ferch i ffwrdd 'da *machete*, yna torri ei gwddf ac yfed y gwaed.

Yn Dar es Salaam mae llaw albino yn werth dwy filiwn o sylltau'r wlad, neu fil o bunnoedd. Daliwyd dyn yn cario pen babi ar ei ffordd i'r Congo; roedd doctor yno wedi dweud wrtho y byddai'n talu fesul owns.

Tu hwnt i hwyliau llacharwyn y dhowiau, mewn darn o fôr peryglus lle mae'r siarcod yn sgwadiau danheddog, mae 'na gwch bach papur yn symud yn osgeiddig. Fel symud drwy freuddwyd.

Ymlaen â hi, yr ysbryd-gwch. Drwy holl ryfeddodau saith o foroedd. Ymlaen â hi.

Oakland Song

. . . neu Bethau Mawr i Ddod, Bêbi Blw
37° 48′ G 122° 16′ Gn

Daeth diniweidrwydd Tierra Doon i ben ag un ergyd pan
gafodd ei brawd ei saethu, yr haf diwetha. Cyn hynny
roedd hi'n un o blant ffyddlonaf teulu Disney a Pixar, ac
roedd Barney, yr arth ar y teledu, yn ffrind bore oes iddi,
heb sôn am Bambi a Big Bird a holl ffrindiau Captain
Nemo. Yn ei dychymyg ifanc, sionc, roedd Tierra'n byw
yn yr un byd – yr un palas hyd yn oed – â Little Princess,
sef y palas arian gyda'r tyredau coch yn llawn sêr ac
enfysau, lle roedd yr oedolion yn gwenu drwy'r amser a
wastad rywbeth neis i de. Ond mi newidiodd popeth ar
ôl ergyd y gwn. Sŵn byd yn hollti'n ddau. Ar ôl hynny
roedd Tierra fel un o blant siawns Satan a niwed pur
wedi disodli diniweidrwydd.

Roedd hi am weld y man lle bu e farw, i lawr yn y
rhan honno o'r ddinas lle nad oes gan y strydoedd
enwau, dim ond rhifau; ardal sy'n rhy dlawd i fforddio
enwau, y tu hwnt i faes pêl-fas enfawr y Coliseum.
Rhyfedd sut mae ardaloedd gwaetha America yn agos at
y meysydd chwarae mawrion – meddyliwch am New
Orleans neu gartre'r Padres yn San Diego, lle mae'r
digartref fel byddin garpiog. Erbyn iddi gyrraedd yno,
roedd ei dwylo bach wedi'u sodro wrth fysedd tew,

selsigaidd ei mam wrth iddynt nesáu at y tarpolin melyn dros gorff Anthony ac un arall fel carthen annaturiol dros gorff ei ffrind, Monte Parkes. Doedd dim gwaed na dim byd felly a doedd 'na ddim byd i ddweud taw Ant oedd dan y plastig chwaith. Ond roedd wyneb ei mam yn datgan hynny'n glir a digamsyniol a'r boen wedi dechrau crychu llinellau newydd ar ei thalcen yn barod. Nu Nu oedd ei enw ar yr aelwyd, oherwydd pan oedd Tierra'n fach doedd hi ddim yn medru dweud Anthony. Ac roedd Nu Nu wedi mynd.

*

Marwolaeth arall yn y ddinas fawr. Mae bywyd yma fel un o gyfresi ffantastig HBO ar y sgrin fach (er bod y sgrin fach yn mynd yn fwy drwy'r amser; gallwch wylio ar sgrin plasma 42 modfedd hyd yn oed yn nhai tlotaf yr Amerig). Ac fel pob drama deledu sy'n hoelio sylw ar HBO, mae 'na drac sain da yn y ddinas hon. Yn Oakland. Gallwch ei glywed ar bob stryd, yn arllwys mas o fflatiau, o systemau siopau gwerthu bwyd a siopau gwerthu sgidiau, yn powndio'i ffordd drwy ffenestri ceir. Ewch i brynu gàs ac mae'r boi tu ôl i'r cownter 24/7 – sy'n edrych fel tase fe wedi bod 'na 24/7 – yntau'n gwrando ar Lil Wayne neu Jay-Z. Mae'r gerddoriaeth wrban, heriol ym mhobman.

Chwilio am y rhythm, ti-ti-ti-ti-ti, ti-ti-ti-ti-ti. Bambwm-ba-bam-bam-bŵm, medd y bas, y bas sy'n tanlinellu popeth, sy'n ddwfn fel sugn y môr. Caneuon am ynnau: Walther PPK, Armalite, y Magnum trwm.

Caneuon am ryw, am frawdoliaeth yr hẁd, bywyd yn y prosiectau – yr adeiladau llwm lle mae pobl yn byw'n galed a marw'n rhwydd, lle mae un ochr o'r stryd yn eiddo i'r Chicanos, a'r llall i'r Niggas. Ond y Niggas fydd yn hawlio'r stryd maes o law. Mae'r gân yn dweud. Mae'r gân yn proffwydo. Niggas fydd yn berchen y byd. Fflach o fellt glas uwchben yr isorsaf drydan. Arogl osôn fel trên Amtrak yn dod i stop. Cyrff ar y stryd. Gwaed ar y *sidewalk*. Ti-ti-ti-ti-ta-tisg-ti-ti-ti-ta-tisg. Ac mae lefel y bas yn cynyddu nawr, yn bygwth chwalu'r spîcyrs, yn bygwth daeargrynu'r ffycin stryd i'r llawr. Ysgwyd y siopau gwallt Ethiopaidd a'r llefydd tacos a'r gwerthwyr ceir sy'n gwerthu pob math o Lexus, Honda a Chevrolet ar hyd Broadway, y busnesau bach sy'n cynnig bwyd Szechuan, a'r holl *tiendas* cymysg ar hyd International Boulevard ac ar Clay a Lakeshore a College, a'u gadael yn deilchion. Tisg-tisg, ta-ra-ra-ra. Ba-ba-ba-ba-ba-bam.

Cytgan syml . . . myddaffyca, myddaffyca, myddaffyca . . . ac uwchben hyn, gan gystadlu â'r geiriau cas, y gitâr flaen sy'n sgrechian nawr – fel un o solos mwyaf ysbrydoledig Prince. Ond nid Prince sy'n canu yn fan hyn; mae llais y rapiwr yn fwy, wel, ypsét gan y byd, yn rhy ffyrnig. Rhywun fel N.W.A, o Compton. Neu Tupac. Tra bod gan y dyn sy'n debyg i dylwythen deg o Philly – Prince – lais fel angel, mae'r cantor in-ior-ffes yma'n canu fel tase fe wedi codi'r ochr rong i'r gwely, neu heb fod yn y gwely yn y lle cynta. Ac mae pob dinas yn magu rapwyr, o ddinistr Detroit i balmwydd Miami. Yn fan'ma, yn Oakland, The Coup yw'r rapwyr gorau, jyst fel y gwnaeth y Goats hawlio Washington a Public Enemy ddiffinio bywyd du yn Efrog Newydd.

Ydy, mae hip-hop ym mhobman, yn ratlo ffenestri tywyll BMWs duon sydd ar eu ffordd i gyfarfodydd sinistr – gwerthu roc neu grac neu sganc, mae'n siŵr. Hip-hop yw'r unig frwydr y mae America wedi llwyddo i'w hennill ers sbel. Bellach, dyma gerddoriaeth y byd.

Mae 'na chwe chan mil o drigolion yn byw yma ac mae'r llawlyfrau teithio'n ddiwahân yn eich cyfeirio tuag at lyn yng nghanol y ddinas sy'n cael ei gydnabod fel y warchodfa adar gynta yn yr Unol Daleithiau. Cewch ymweld â sgwâr i lawr wrth y marina sydd wedi'i enwi ar ôl Jack London, yr awdur enwog, a gallwch actiwali weld y caban lle'r ysgrifennodd yr hen Jack druan ei nofel *Call of the Wild*, er bod 'na gaban yr un spit ag e yn Vancouver . . . Caban anunigryw Jack yw conglfaen diwydiant twristiaeth y ddinas. Blydi hel.

Does dim rhyfedd taw un o'r dywediadau enwoca am y lle yw: 'Does 'na ddim "yno" yno' – fel yr awgrymodd un o ferched y ddinas, Gertrude Stein.

Ond mae 'na yffach o borthladd, sy'n derbyn hanner cynnyrch Tsieina a chwarter yr holl nwyddau o Siapan sy'n cyrraedd glannau hirion y wlad fwya pwerus ar y ddaear. Ac mae pobl yn caru'r lle, er nad oes yna ddim calon iddo, a bod cant o leia'n marw bob blwyddyn ar ei strydoedd peryg. Digon o ddewis hefyd – dreif-bei, myrsi, hunanladdiad, streit homiseid, cael eich saethu'n farw oherwydd cenfigen, cyffuriau, cam-adnabod, doleri. Dim diffyg dewis.

Eto, mi allai pethau fod yn waeth. Gallai pethau fod mor wael ag maen nhw yn Detroit, sydd ar ben y domen o ran trais a lladd – 'sdim rhyfedd bod miwsig fan'no yn llawn trais a galar. Mae Oakland fel Coney Beach o'i chymharu â Detroit. Ac yn y pethau pathetig yma y mae dinas Americanaidd yn y ganrif newydd yn chwilio am hunan-barch, am hunaniaeth ddinesig. O wel, 'dyn ni ddim mor wael â Flint a Richmond. 'Sdim angen mwy o recriwtio heddlu eleni, felly. Ddim nes bod rhywbeth mawr yn mynd o'i le.

Mae amser gangiau gwynion Oakland, yr hen gangsters, bron â dirwyn i ben a does 'na ond un ar ôl erbyn hyn. Dyma nhw, y gang ola, yn lladd amser drwy yfed a chwarae cardiau, yn y loc-yp tu ôl i BevMo! Mae 'na un peth sy'n gwbl nodweddiadol am y gang olaf un. Mae'r aelodau wedi bod yn edrych ychydig bach gormod ar y ffilm *Reservoir Dogs*. Maen nhw wedi bod yn gwylio'r heist-mwfi 'ma o leia ddwywaith yr wythnos dros y tair blynedd diwethaf, ac mewn achos gwael o fywyd yn efelychu celf, maen nhw wedi hen adael eu personoliaethau gwreiddiol ar ôl ac wedi mwtanu i edrych a bihafio fel y lladron sydd yn y ffilm: Mr Pink, Mr White, Mr Black a'r gweddill.

Maen nhw'n gwisgo'r un dillad – y siwtiau, y teis duon, y crysau gwynion – ac maen nhw'n siarad mewn cymysgedd o iaith bob dydd a dyfyniadau o sgript Quentin Tarantino. Mi roedd 'na gyfnod pan oedden nhw'n gwneud hynny mewn ffordd wybodus, eironig ond bellach mae ffiniau ffaith a ffantasi mor frau a thenau nes bod y cyfan yn we garpiog. Mae Mark

Clooney yn credu taw Mr Black yw ei enw go iawn a Steven Masters yn credu taw fe yw Mr Pink (y cymeriad nerfus hwnnw y mae Steve Buscemi'n ei chwarae yn y ffilm) ac mae'r dryswch yma'n wir am bedwar aelod arall o'r gang. Felly, mae'n rhaid taw Specky Kravitz yw Mr White oherwydd fe sy'n gwneud y penderfyniadau. Mae'n rhaid iddo – dyw Mr Pink ddim yn medru penderfynu sut mae e eisiau ei wy yn y bore, ac mae llawer o'r aelodau eraill yr un mor ddi-glem. Mr White sy'n deall bod map y ddinas yn newid o'u cwmpas, ei bod hi'n mynd yn fwy anodd cadw tabs ar y gystadleuaeth. Mae hyd yn oed y cyffuriau wedi newid. Cofia Specky gyfnod pan oedd y prif gyffuriau i gyd yn wyn, ond ar ôl Vietnam roedd heroin yn frown ac yna daeth yr holl dabledi ecstasi amryliw, oedd fel dangos diffyg parch rywsut. Ac fel un oedd yn arfer defnyddio smac ei hun roedd gyda fe'r hawl i fod yn snobyddlyd am y pethau 'ma.

Bellach mae'r Triadau yn rhedeg y gamblo, y Wu-Tans yn gofalu am buteindra, y gangiau Hispanig fel y Menig Gwynion yn y gwely gyda'r undebau llafur. Mae recriwtio i'r heddlu yn anodd achos bod cynifer ohonynt yn cael eu lladd ar y job ac mae 'na ardaloedd o'r ddinas sy'n no-go i'r cops bellach. Mae'r cyngor yn derbyn llwgrwobrwyon a'r maer ar y têc. Am nythaid o broblemau. Am haid o gacwn.

A chyn gorffen â'i phroblemau, rhaid cofio bod y ddinas dros y dŵr o San Francisco, ac mae pawb wedi clywed am fan'no. Mae'r ymwelwyr yn heidio i S.F. i fwyta *clam chowder* ar Ferryman's Wharf a siopa'n ddrud ar Sgwâr yr Undeb, cyn mynd ar y ceir cebl lan y bryniau serth (y rhai yng ngolygfeydd agoriadol *The Streets of San Francisco* lle mae'r sedans a'r Mustangs yn llosgi rwber wrth hedfan dros y bryniau a glanio'n galed) heb sôn am demtasiynau Chinatown a'r Ferry Building, y Tadich Grill a'r Redwood Room. Yn hyn o beth mae Oakland fel Melbourne i Sydney, neu São Paulo i Rio. Yr ail ddinas, wastad y fflipin ail ddinas.

Ond mae ganddi yffach o borthladd enfawr a llongau mawrion sy'n cario pob math o bethau o bob math o lefydd. A'r balchder sy'n dod o fyw mewn lle tyff.

Byddai'r Oaklanders yn falch o wybod sut mae'r lle'n bwysig iawn yn y pictiwr mawr. Waeth mae'r mynd a'r dod o Oakland yn bwysig i farchnadoedd y byd.

Rhif sy'n cael ei gyfrifo gan gyfnewidfa yn Llundain yw'r Baltig Sych. Bob dydd mae canfaswyr Mynegai'r Baltig yn ffonio cwmnïau ar draws y byd i holi beth fyddai cost cludo hyn a'r llall o fan i fan. Faint fyddai'n gostio i symud 100,000 tunnell o fetel o Perth i Hong Kong neu fil o dunelli o reis o Bangkok i Tokyo? O Shanghai i Oakland. O Oakland i Shanghai. Mae 'na gân yn fan'na yn rhywle.

Maen nhw'n cyfri llongau o bob maint o'r Supramax i'r Panamax i'r Capesize, ac mae'n anorfod, bron, y bydd y llongau hynny'n dod i Oakland ryw ben. Mynd drwy Gamlas Suez ar eu ffordd i Oakland. Osgoi peirets culfor de Tsieina, ar eu ffordd i Oakland. Mae 'na lwybrau anweledig yn y môr sy'n arwain at yr hafan hon yng Nghaliffornia a'i chraeniau mawr. Ceir a gwenwyn, cemegau o'r Almaen, porc hallt, tân gwyllt, bwydydd sych, puteiniaid, cyffuriau, i gyd ar eu ffordd. Y cynhaeaf modern.

*

Bore Sadwrn, i lawr y ffri-we yn ninas Berkeley. Tu allan i ffenestr y dwplecs mae cymdeithas gampanoleg y brifysgol yn rhoi cyngerdd ar eu clychau, fel maen nhw wedi bod yn ei wneud ers deugain mlynedd. Saif *campanile* Eidalaidd hyfryd yr olwg reit ynghanol y campws a phob bore Sadwrn, am ddeuddeg o'r gloch ar ei ben, dechreua'r gyngerdd draddodiadol. Tu fewn i'r dwplecs mae David ac Elsbetha Kearny yn gobeithio dechrau teulu. Maen nhw wedi penderfynu osgoi rhyw yn y nos oherwydd bod David wedi arfer cymaint â chael gwydraid o win min nos dros y blynyddoedd nes ei fod yn mynd yn eitha stresd os nad yw e'n cael llymed ar ôl gwaith, ac mae'r llawlyfrau i gyd yn awgrymu y dylai dyn osgoi alcohol os yw e am fod mor ffrwythlon â phosib. Ar y silff lyfrau ar ei hochr hi o'r gwely mae 'na lyfrau am bob agwedd o ffrwythlondeb. Mae'n obsesiwn bellach, a babi'n greal.

Mae 'na rai pobl sy'n caru i gyfeiliant Barry White, rhywbeth rîli *get-on-down* megis 'You're the First, the Last, My Everything' neu 'Can't Get Enough of Your Love, Babe', neu rywbeth secsi o Brasil gan Gilberto Gil. Ar fore Sadwrn, pan fydd David ac Elsbetha yn caru, bydd cyfeiliant clychau a'r bore hwn, cerddoriaeth Varèse, Ravel a Stockhausen sydd i'w chlywed, yn ogystal â darn cwbl newydd gan John Adams sy'n defnyddio'r clychau bychain i gyd ac sy'n swnio fel dathliad crefyddol yn

Nhibet. Mae'n gwneud yr holl beth yn dipyn o bantomeim, a dweud y lleia, yn enwedig y Varèse, darn arbrofol, ansoniarus sy'n achosi i'r campanolegwyr chwysu yn eu twr. Heb sôn am David a'i chwysu ef . . .

– Falle'r tro 'ma?

Dyma gwestiwn gobeithiol ond blinedig David, sy'n dechrau poeni bod ei gefn wedi gwanhau cymaint o ganlyniad i'r ymarfer corff rhywiol mae e'n gorfod ei wneud. Mae'n tynnu am ei bum deg pump ac yn tybio y bydd yn dibennu lan yn hen ddyn gwargrwm, yn therapydd mor grwca fel y bydd y byd i gyd yn edrych fel ei esgidiau, oherwydd 'na'r unig beth bydd e'n medru'i weld.

– Falle'r tro hwn, ateba Elsbetha, wrth estyn am sigarét Sobranie o'r drôr, sy'n synnu David, ond mae'n gwybod yn well na dweud unrhyw beth wrth ei wraig.

Ers blynyddoedd bu'r cloc biolegol yn ticio'n uwch ac yn uwch nes bron â'i byddaru hi. Pan oedd hi'n ddeugain roedd y cloc eisioes fel Big Ben. Erbyn iddi droi pedwar deg a phumpn roedd e fel y gloch 'na yn y Kremlin, y Tsar Kolokov sy'n pwyso dim llai na 400,000 pwys.

*

Corff na fydd yn symud mwy, gyda'r CSI yn tynnu lluniau o'i gwmpas. Arbenigwyr fforensig yn gwenyna o gwmpas dysgl wag ei brawd.

Mae Tierra yn un ar ddeg – yn rhy ifanc i weld y fath beth, yn rhy ifanc i gario'r delweddau yma gyda hi fel baich arswydus, y math o beth fydd yn ei dihuno yn y nos fel petai cloc larwm wedi cymryd lle ei chalon.

Mae ei mam yn gorfod gweithio er mwyn talu'r biliau, felly does dim amser i aros gartre gyda Tierra er mor ofnadwy yw'r hyn sydd wedi digwydd, ond mae'r fenyw drws nesa, Clarisse, yn fodlon gwarchod. Roedd y cops ddaeth i holi'r teulu yn amlwg wedi blino gofyn yr un hen gwestiynau dro ar ôl tro mewn tai tlawd, am ddynion ifainc duon yn gwisgo *bling* ac arwyddluniau gangiau o ryw fath, oedd wedi marw yn y nos. Na, doedd gan Anthony ddim gelynion. Na, doedd e ddim yn aelod o unrhyw gang. Na, doedd e ddim yn cymryd nac yn gwerthu cyffuriau, ar wahân i ambell benwythnos ar y dôp. Fel pob un arall o'i gyfoedion.

Roedd llais ei mam yn gryg 'da ffags a blinder a gwacter-y-groth 'rôl colli ei hunig fab. Pan ffoniodd hi dad Anthony i 'weud y newyddion trist, dywedodd ei gariad newydd, Cristabel, ei fod wedi mynd i Mecsico am rai diwrnodau. Doedd dim rhaid iddi ofyn dim mwy. Byddai wedi mynd â llwyth o ddoleri 'da fe ac ychydig ddyddiau ar ôl iddo ddychwelyd byddai criw o Fecsicanwyr, mulod cyffuriau, yn croesi'r anialwch o Tijuana neu Nogales gyda bwndeli dôp ar eu cefnau. Rêl rôl model o dad oedd gan Nu Nu.

Gwedwch wrtho fe fod ei fab wedi cael ei ladd . . . ac atgoffwch e taw Anthony oedd ei enw.

Mae Mrs Doon yn rhoi'r ffôn yn ôl yn ei gawell gyda chlec. Mae'n casáu Cristabel; wastad yn defnyddio'i llais syanid gorau pan fydd hi'n siarad â hi.

*

79

Ras y spermatosoa yw'r peth pwysica ym myd Elsbetha. Hon yw'r ras bwysica mewn bywyd, heb os. Mae hi'n eu dychmygu nhw, yn eu gweld nhw, yn y llif twym lle maen nhw'n nofio'n bwrpasol – miliynau o fersiynau o David – am y gorau i gyrraedd pen eu siwrne; nid bod yr un ohonynt yn deall beth yw natur y dasg gan mai wrth reddf gyntefig, enetigol y mae'r rhain yn symud drwy'r hylif llaethog, trwchus. Celloedd haploid ar eu ffordd i gyrraedd yr ofwm i greu sygot, sef un gell gyda set gyfan o gromosomau all dyfu'n embryo. Harbwr clud ei hofwm hi.

Mae hi'n arbenigwraig, bron. Yn gwybod popeth am y daith, a'r hen bethau bach di-nod fel penbyliaid (er yn dipyn llai) â'u pennau bach, bach a'u cynffonnau sydd ond yn 50 micron o hyd ar ras i ffrwythloni un wy – O plis, Dduw, ei hwy bach hi – er mwyn cadw'r rhywogaeth rhag ebargofiant. Dewch mlaen, chwi greaduriaid dall ar eich ffordd i rywle-rywsut. Dilynwch yr arwyddbyst fferomonol. Bydd yn rhaid i filiynau farw ar y ffordd – marw-wrth-y-mil, hil-laddiad, aberth, boddi. Dyma sut mae creu plentyn bach.

Ac os bydd un yn llwyddo i gyrraedd, bydd angen mynd drwy'r celloedd cwmwlws ac yna'r *zona pellucida* – rhwystrau, muriau, amrywiaeth ddiddiwedd o broblemau yn y ffordd.

– Ond mae'n rhaid i *un* gyrraedd, chwedl Dr Sardonicus yn y clinig ffrwythloni, sy'n siarad a thrafod opsiynau gyda David ac Elsbetha. Yn ei ffeil nodiadau mae pob math o wybodaeth bersonol am y ddau. Amserlenni, mesuriadau, cyffesion.

Y tu allan i'r clinig mae limosîn enfawr yn mynd heibio yn cludo dynion mewn siwtiau a theis duon i gwrdd â chriw sydd wedi dod â dôp yr holl ffordd o Nogales trwy Santa Barbara a Monterey.

Ar ôl eu hymweliad â'r clinig mae'r cwpwl hysb yn fud. Maen nhw'n wedi gorfod codi ail forgais ar y tŷ ac mae amser cinio'n dawelwch llethol o synfyfyrio. Mae Elsbetha'n dychmygu ei chorff yn troi'n ddiffeithwch, lle mae cacti anferthol yn torri drwy'i chroen. Ac mae manylder yn perthyn i'w hunllef ganol dydd hefyd – cacti fel y rhai sy'n tyfu o'r tir caregog ym Mharc Joshua, ei chroen fel memrwn dan yr haul didostur, a hwnnw fel disg o fara sagrafennol yn y nen sy'n bygwth llosgi'r planhigion ystyfnig oddi ar wyneb daear. Yn nhawelwch eu cartref, yn nistawrwydd eu heuogrwydd, mae hi'n teimlo bron fel tase hi'n cael gweledigaeth fel gwnaeth yr hen Sant Anthony, rywle rhwng Afon Nîl a'r Môr Coch, ond ei bod hi mewn dwplecs, a'i gŵr yn crwydro o stafell i stafell, ar goll yn y byd.

Oherwydd methiant hyd yn oed un sberm bach pathetig i gyrraedd pen y daith, unwaith yn rhagor, mae ei wraig yn bygwth ei adael. Mae hi wedi cadw calendr manwl, bwyta bwyd iachus, recordio'i thymhorau mewnol.

– Dere!

Mae David yn gwisgo'i got yn ufudd.

Er bod y bwyty Mecsicanaidd La Taqueria, sydd wrth ymyl yr orsaf BART, yn llawn pobl a sŵn lleisiau, mae Elsbetha'n siarad mor uchel nes ei fod e'n gallu clywed yn glir ei holl fethiannau – methiannau ei sberm diog yn benna, a'r ffaith ei fod wedi newid cymaint ers dechrau gweithio gyda'r holl blant hunllefus 'na nes nad yw hi braidd yn ei adnabod bellach.

– Nid y plant sy'n hunllefus ond y byd lle maen nhw'n byw, yw amddiffyniad parod David.

– Od sut rwyt ti'n medru datrys problemau pobl eraill mor rhwydd . . .

Mae e wedi clywed y dacteg yma o'r blaen. Mae e wedi clywed pob tacteg o'r blaen. Rownd y rîl, rownd y rîl. Roedd meddwl David wedi drifftio i geisio adnabod y gerddoriaeth oedd yn chwarae yn y lle bwyta. Ozomatli, efallai. Mae fel tase ei wraig yn bell iawn i ffwrdd nawr, a'r cyfandiroedd yn gwahanu rhyngddynt. Tectoneg platiau eu perthynas. Ei wraig ar fynydd iâ bellach, a dŵr yn llwyd fel llechen rhyngddynt.

*

Mae bag Tinker Bell ar gefn Tierra ac yn ei phoced mae 'na ffôn lôn, un pinc gydag wyneb tywysoges ar y clawr. Mae'r bws ysgol yn gynnar a Luther, fu'n gyrru'r bws yn blygeiniol am dros ugain mlynedd, yn rhoi gwên sydyn iddi gan ddangos ei ddannedd newydd a gostiodd ffortiwn iddo. Cynllun talu fydd yn para chwarter canrif arall!

Ar y bws mae Tierra'n edrych ar y ffôn ond does ganddi neb i'w ffonio ac felly, heb feddwl bron, mae'n sgrifennu *R.I.P. Ant a Monte* drosodd a throsodd ar gloriau gleision ei llyfrau ysgol nes eu bod yn ddu 'da inc. Mae Tierra'n cofio tâp du a melyn yr heddlu fel ffin ei phlentyndod ac mae hi'n teimlo fel y dywysoges oedd yn cael ei rhybuddio i beidio byth â mynd i'r Goedwig Dywyll lle mae'r angenfilod yn cuddio. Peidiwch â mynd un cam ymhellach . . . ond mae'n rhaid iddi fynd, i archwilio.

Saif yr ysgol ar fryncyn, gyda pharc agored sydd ddim yn saff yn y nos ar un ochr a chymdogaeth o dai incwm isel yn ffinio â'r ochr arall. Mae 'na dai cyhoeddus hefyd, ac mae nifer o'r rheiny sydd yn Fruit Creek yn edrych fel barics. Mae'r gymhariaeth yn un briodol iawn achos mae 'na ryfel yn mynd mlaen. Draw yn nwyrain y ddinas. Lle mae'r nos yn hawlio bywydau.

Mae ysgol Bernal Valley yn nhir neb. Ond mae pob disgybl yn nabod 'milwr', neu un sydd wedi'i niweidio. Gyda nifer y llofruddiaethau yn aml yn y dwsinau bob blwyddyn yn ardaloedd Sasco Heights, Redwood View a San Bernadino, heb sôn am y llu o ddigwyddiadau lle mae rhywun yn cael ei saethu, mae yna arbenigedd llawfeddygol yn ysbyty Kaiser Permanente ac mae'n syndod cynifer maen nhw'n llwyddo i'w cadw'n fyw. I gael eu saethu eto rywdro arall. Yn hynny o beth mae'n debyg i'r holl ysbytai yng Ngogledd Iwerddon a ddysgodd sut i ddelio gydag anafiadau pen-glin ar ôl i'r Provos gosbi un pŵr dab ar ôl y llall.

Filltiroedd yn unig i ffwrdd mae 'na ddinas arall lle mae iypis yn symud wrth eu miloedd i'r tai newydd gafodd eu hadeiladu ar hen safleoedd y llynges, lle mae cyplau crand yn sipian margaritas ar falconi'r Hotel Mundial, gwenoliaid y môr fel gwaywffyn yn plymio i'r môr glas, a'r siopau crand dan eu sang gyda'u nwyddau

Hermes, Prada a Williams-Sonoma. Oddi yno, os edrychwch chi allan i'r môr yn y tymor iawn, mae'n bosib y gwelwch chi forfilod llwydion ar eu siwrne o Fae Cortez i gulforoedd Alaska.

Ond mae hynny fyd cyfan i ffwrdd o Bernal Valley. Yn yr wythnosau diwetha fe welodd un o'r disgyblion ddyn yn dal gwn yn erbyn pen ei mam, cyn iddo'i threisio. Roedd un ferch wedi gorfod camu dros gorff marw aelod o gang ar ei ffordd i'r ysgol. Wrth i dri bachgen aros am y bws i ddod i'r ysgol fe welson nhw ddau ddyn yn saethu at ei gilydd, y bwledi'n gawod.

Mae gan David restr o ystadegau torcyfraith wythnosol yr ardal ar ei ddesg a sgrin deledu o'i flaen gyda lluniau o goridorau, ffreutur, maes parcio a neuaddau'r ysgol. Mae'n cadw mewn cysylltiad cyson â'r heddlu a'r gwasanaethau lles er mwyn gwybod a fydd angen gwasanaeth y cwnsler galar ar ôl rhyw drasiedi neu'i gilydd fwrw'r Sul.

Mae Tierra yn y chweched grêd, ond o fewn wythnos i'r llofruddiaeth mae ei hathrawon yn holi a ddylai hi aros yno – nid yn unig o fewn y dosbarth ond yn yr ysgol o gwbl, achos bod ei thymer fel tân gwyllt yn bygwth llosgi'r ysgol ei hun i'r llawr.

Un prynhawn roedd hi wedi rhedeg drwy'r ysgol yn gweiddi pethau anweddus at grwtyn oedd wedi bod yn ei phryfocio. Doedd e ddim wedi bod yn filain, ond mi wnaeth hi ei fwrw yn ei wyneb gyda'i dyrnau'n dynn, ta p'un.

– Dwi'n mynd i chwipio dy din di fory, y ffyc bach ac wyt ti.

84

Mae'r ferch fach gyda'r bag pinc yn ymosodol, mae ei gwaith yn esgeulus – os yw hi'n trafferthu i'w wneud o gwbl – ac mae hi'n methu canolbwyntio ar ddim byd. Er bod yn rhaid iddynt gofio beth sydd wedi digwydd iddi – y boen, y golled, yr hunllef olau dydd. Mae ganddynt ddyletswydd tuag at y plant eraill, er bod hanner y rheiny wedi gweld neu'n nabod rhywun gafodd ei ladd gan fwled. Mae'r trawma yn yr ysgol hon yn waeth na milwyr yn dod 'nôl o Irac neu o ymladd y Taliban. Mae'r trais yn rhan o'u bywydau, yn rhywbeth maen nhw'n ei gario o gwmpas drwy'r amser, fel cot. Mae Tierra fel un o'r bomiau 'na wrth ymyl hewl yn Irac, yn beryglus dawel, ond medrai chwythu'ch pen i ffwrdd.

Ambell waith mae Tierra'n crynhoi'r boen a'r blinder yn un rheg sy'n ffrwydro o'i cheg.

Dyw'r cabledd yn effeithio dim ar David, wrth iddo wrando'n astud arni a chymryd nodiadau yn bwyllog ac yn ofalus. Hwn yw ei sesiwn agoriadol.

Mae Tierra'n rantio nawr – am ei dymuniad i roi crasfa i ryw fachgen sydd wedi edrych arni yn Y Ffordd Anghywir. Nid dyma'r unig dro iddi ddymuno ymladd rhywun – er gwaetha'r ffaith nad yw hi ond yn pwyso 110 pwys a phrin fodfedd dros bum troedfedd. A'i bod yn edrych fel angel, neu dylwythen.

– Does dim rhaid i ni siarad o gwbl, dywedodd David, gan osod y ffeil i lawr, a'i feiro yn ei boced.

Bu tawelwch hir, hanner awr yn troi'n awr a David yn gwenu arni o bryd i'w gilydd. Cynigiodd ddarn o siocled iddi ond roedd Tierra yn edrych allan drwy'r ffenestr. Ddywedodd hi'r un gair. Yn y diwedd roedd yn amser dod â'r sesiwn i ben. Diolchodd iddi am ei hamser, heb eironi, ac roedd y ferch yn edrych yn ddigon diolchgar am y cwmni a'r tawelwch. Wedi iddi gau'r drws, cododd David y ffeil a dechrau darllen stori fer arswydus ei bywyd. Roedd hi'n sicr wedi siarad 'da'r gweithwyr cymdeithasol, siarad fel pwll y môr. Efallai ei bod hi wedi dweud y cyfan yn barod? Roedd David yn amau hynny'n fawr.

Bu'n ddisgybl arbennig yn yr ysgol elfennol – graen ar ei gwaith dosbarth a'i hymddygiad yn werth pum seren bob tymor. Gartre roedd yn allblyg, yn tynnu coes ei brawd yn ddidrugaredd, yn enwedig pan fyddai'n ceisio gwneud argraff ar rhyw ferch neu'i gilydd. Roedd ganddi lysenw arno – Nu Nu. Gwenodd David. Roedd ganddo fe frawd o'r enw Jonathan a byddai wastad yn ei alw fe'n Do Do, enw y dechreuodd ei ddefnyddio pan oedd yn flwydd a hanner ac a oedd wedi para tan y dydd heddiw. Ei frawd oedd yn byw yn Ulan Bator yn Mongolia. Nag o'et ti'n medru ffindo rhywle pellach i ffwrdd . . ?

Cysgod yw Anthony – cysgod Nu Nu dros ei bywyd a bywyd ei mam, sydd byth yn gwenu nawr, ac sy'n smocio o fore gwyn tan nos. Dyw Tierra ddim yn gwybod bod ei mam yn defnyddio *crystal meth* a chrac ac unrhyw gyffur arall sydd wrth law i fwrw'r ofn heibio. Mae'r nodiadau'n awgrymu ei bod yn gwbl gaeth, ond rywsut wedi osgoi mynd i drafferthion 'da'r heddlu. Criodd Tierra drwy'r dydd ac yn llythrennol drwy'r nos ar ôl i Nu Nu farw. Yn ôl y nodiadau. Yna mi wnaeth hi encilio rhag y byd, i gragen fôr o ddioddefaint, ac absenoldeb.

Roedd darllen tystiolaeth y fam yn anodd gan ei bod

yn siarad fel rhywun oedd wedi cymryd gormod o stwff. Ond roedd hi'n onest ddigon. Un diwrnod roedd hi wedi mynd i brynu carreg o gyffur oddi wrth un o'r Chicanos oedd yn gweithio cornel y stryd wrth y 7/11, gan adael Tierra wrthi'i hun yn y tŷ. Fu hi ddim mas am fwy na deng munud. Pan ddaeth hi'n ôl i'r dwplecs roedd ei merch yn stabio tedi-bêr drosodd a throsodd gyda handlen hir, siarp ei chrib blastig. Dal i ddial ar y dyn a laddodd ei brawd.

'Sdim rhyfedd ei bod yn ymosodol yn y dosbarth, yn ateb yr athrawon 'nôl, ac yn treulio cymaint o amser yn swyddfeydd y rheolwyr yn cael row. 'Sdim rhyfedd ei bod yn gorfod gweld David er mwyn aros yno.

Yn eu pedwerydd sesiwn mae David yn gofyn i Tierra ddisgrifio'r hyn ddigwyddodd iddi. Mae'n gwybod y bydd 'na rai pethau penodol sy'n ei hatgoffa o'r diwrnod y bu farw ei brawd. I rai disgyblion mae lleisiau uchel, seiren ceir yr heddlu, lliw gwaed yn medru dod â'r atgof yn ei ôl, gyda phanig ac ofn a theimlad diymadferth. Esbonia David fod y teimladau hyn yn hollol normal o ystyried beth sydd wedi digwydd iddynt. Daw'r geiriau'n araf i ddechrau. Ond o dipyn i beth, mae hi'n dweud wrtho sut mae hi'n teimlo'n ddwfn tu fewn.

Pan ddechreuodd ar y gwaith, roedd ei achos cynta mor anodd fel y bu bron yn rhaid iddo fe ei hunan ddechrau therapi – ac mae nifer o'i gyd-therapyddion yn dal i fynd am sesiynau, yn dawel bach. Dim ond hyn a hyn o boen allwch chi ei phrosesu mewn diwrnod gwaith. Mae Tierra'n ei atgoffa fe o'r ferch â'r cylchoedd tywyll dan ei llygaid.

Pan oedd honno'n bump roedd ei thad wedi dodi'r gwely ar dân gan obeithio lladd pawb yn y tŷ. Y dynion tân yn eu helmedau melyn oedd wedi'u hachub. Ddwy flynedd yn ddiweddarach mi wnaeth gweithwyr iechyd yn yr ysgol ddarganfod chwilod duon yn ei chlustiau. Pan oedd hi'n naw, gwelodd ei brawd yn cael ei drywanu yn ei gefn. Erbyn ei bod hi'n ddeg roedd hi'n dioddef o Anhwylder Straen Wedi Trawma. Am blentyndod. Byddai ceir heddlu, injans tân, nodwyddau a chwilod yn peri teimladau o ofn llwyr iddi.

Ond mae Tierra'n wahanol i bob un o'r lleill. Mae David yn synhwyro hynny o'r dechrau. Nid yw'n symud, symud, symud fel y lleill; ddim yn bugutan drwy'r amser. Dyw hi dim yn *hyper*. Heddi mae'n eistedd yn hollol lonydd, fel llyn o alar wedi cronni. Er ei bod yn colli ei thymer o bryd i'w gilydd, mae fel petasai'n rheoli hyd yn oed y weithred honno.

– Aeth Mam i chwarae bingo neithiwr, meddai hi, heb ysgogiad.

– Mae dy fam yn hoffi bingo?

Sylweddolodd David pa mor hurt oedd y cwestiwn bron wrth iddo ynganu'r geiriau.

– Dyw hi byth yn aros yn hir a dyw hi byth yn ennill dim byd. Dim ond lan y stryd mae hi'n mynd. Roedd hi wastad yn meddwl ei fod yn saff i wneud hynny os oedd . . .

– Os oedd . . ?

– Anthony, os oedd Anthony o gwmpas. Fyddai hi byth yn fy ngadael wrth fy hunan. Ry'n ni'n byw mewn lle peryglus. Coedwig dywyll. Ond roedd Nu Nu yn gwneud i mi deimlo'n saff.

Sgrifennodd David y gymhariaeth ar y daflen A4 felen o'i flaen – y math o bapur mae cyfreithwyr yn ei ddefnyddio. Coedwig dywyll.

– A beth sydd mor bwysig am y gêm bingo neithiwr?

– Roedd Mam newydd ddechrau'i hail sesiwn pan ddaeth dynion i fewn yn gwisgo mygydau ac yn cario drylliau, ac roedd un ohonyn nhw'n chwifio gwn o gwmpas y stafell. Cymron nhw arian oddi wrth bawb. Allai Mam ddim credu'r peth – ar ôl beth digwyddodd i Nu Nu.

Rhewodd y ferch fach wrth orffen y stori, a'i hysgwyddau'n disgyn i'w brest wrth iddi godi ei phengliniau. Amddiffynnol. Ofnus.

– Beth am i mi rannu stori 'da ti? awgrymodd David gyda gwên, gan gynnig darn o See's Candies iddi, ond ei wrthod wnaeth hi.

Soniodd wrthi am ferch fach ychydig iau na hi oedd yn byw mewn tre fach ym Minnesota. Dyma'r stori.

Enw'r ferch oedd Betty Campbell ac enw'r dre oedd Larkspur, a phrin fod 'na unrhyw beth yn digwydd yno gan ei bod yn dre mor fach – gyda llai na naw deg o bobl yn byw yno a phawb yn nabod ei gilydd ac yn hoffi ei gilydd.

Merch fach fusneslyd oedd Betty a bob dydd byddai'n holi ystyr hyn ac ystyr y llall ac yn gofyn cwestiynau rif y gwlith i'r postmon yn ei fan a'r dyn clau ffenestri ac i'w mam a'i thad ac i bob wan jac yr oedd hi'n ei weld o gwmpas y tŷ neu o gwmpas y dre. Pam y'ch chi'n glanhau'r ffenestri? Pwy sy'n rhoi'r llythyron i chi? Pam mae eira yn wyn? Beth yw enw'r anifail cyflyma yn y byd? Roedd hi fel gwyddoniadur o gwestiynau.

– Tsita, medd y postmon yn hapus, gan feddwl am y llewpart main ar garlam dros y safanna. Hwn oedd y tro cynta iddo wybod yr ateb i un o gwestiynau Betty. Ac roedd y cwestiwn nesa yn hawdd. Pwy sy'n rhoi'r llythyron i chi?

– Y fenyw yn y swyddfa bost, medd y postmon a'i galon yn carlamu fel tsita o feddwl am Patrice, rheolwraig y swyddfa bost, achos mi oedd e'n cwympo mewn cariad â hi gyda phob sachaid o lythyron yr oedd hi'n ei rhoi iddo o'r tu ôl i'r cownter. Un diwrnod mi fyddai eu plentyn, Micky, yn gadael Prifysgol Stanford gyda gradd arbennig mewn astroffiseg ac yn cael swydd fel dyn post, er mawr siom a thristwch i'w rieni.

– Mae eira yn wyn fel ein bod ni'n medru dweud y gwahaniaeth rhyngddo a huddyg, meddai Bill Drabkin y ffermwr, a'i ben fel erfinen yn edrych lawr arni dros y gât. Esboniodd hefyd sut y mae pob pluen eira yn ffurfio o gwmpas darn bach, bach o ddwst.

Roedd Betty fel ffatri gwestiynau ac roedd pawb yn hoff ohoni, yn rhannol oherwydd ei brwdfrydedd a'i diléit mewn gwybod mwy a mwy a mwy. Ond, er gwaetha'i holl frwdfrydedd liw dydd, roedd hi'n greadur dipyn gwahanol yn y nos. Oherwydd roedd ar Betty ofn y lleuad. Lleuad-o-ffobia.

Heb os, roedd Betty'n gwybod nad oedd unrhyw beth i'w ofni ynghylch y lloer ond wedyn mae ffobia – yr ofn direswm hwnnw – yn rhywbeth sydd y tu hwnt i ddeall y rhan fwya o bobl, yn enwedig y sawl sy'n dioddef o'r math hwnnw o ofn. Dynion tyff sy'n ofni pryfed cop. Ambell un yn y byd sydd ag ofn llwy bren – wir i chi.

Os oedd 'na leuad – llawn neu chwarter, doedd dim gwahaniaeth – byddai Betty'n crynu dan y gwely. Am flwyddyn gyfan digwyddodd hyn o leia ddwywaith y mis nes bod ei thad yn esbonio rhywbeth iddi . . .

– Un tro roedd holl greaduriaid y byd yn llawn ofn yn y nos: y llygod bach, yr adar, y mochyn daear, y carw, y teigr, y ceiliog, pob un ohonynt yn cael llond bola o ofn unwaith y byddai'r haul yn diflannu'r tu ôl i'r mynydd, fel mae'n diflannu'r tu ôl i Mount Mishap y tu draw i'r dre. Un diwrnod dyma'r Greawdwraig Fawr yn gofyn i holl anifeiliaid y byd a fydden nhw'n dymuno bod ar ddi-hun bob nos.

I nifer o'r anifeiliaid roedd y syniad yn hunllef ynddo'i hun ond roedd rhai yn ymddiried cymaint yn y Greawdwraig Fawr fel eu bod yn fodlon mynd i eithafion daear gyda hi ac mi ddwetson nhw y bydden nhw'n hapus ddigon i fod ar ddi-hun yn y nos. Ond cyn newid y drefn, lluniodd y Greawdwraig lamp o hen ddarn o bapur crychlyd a chrinciog ym mhoced ei ffedog, sef y cyfarwyddiadau yr oedd ei mam wedi'u rhoi iddi beth amser yn ôl – 'Sut i greu ymlusgiaid, adar a mamaliaid mewn diwrnod' – a hynny drwy dorri cylch o bapur gyda siswrn arian a'i daflu fry, fry uwch ei phen. Ar ôl iddo ddrifftio'n uchel iawn mi gafodd y papur ei ddal rhwng dwy seren (roedd y Greawdwraig Fawr wedi creu'r rhain yn fwriadol wrth eu miloedd ddeuddydd ynghynt a dechreuodd adlewyrchu golau'r haul. Trodd y papur yn lleuad, a'r lleuad yng ngolau'r haul yn lamp – llusern arbennig er mwyn i ambell anifail ac ambell aderyn allu gweld yn y nos a theimlo'n ddiogel (nes bod y tylluanod yn dechrau hela'r llygod i gael rhywbeth i'w wneud, ond stori arall yw honno . . .).

A chyda hynny dyma'i thad yn agor y cyrtens ac yn dangos i Betty ei bod yn bosib gweld crychion yr hen ddarn o bapur o hyd – a phwyntiodd at y ceudyllau fel plorynnod ar y wyneb y lloer. Yna, pwysleisiodd i'r Greawdwraig Fawr lunio'r lamp er mwyn cael gwared ar ofnau, nid i'w hachosi nhw, a dyma Betty'n edrych ar y lloer am y tro cynta ers amser hir heb grynu.

– Dyna fy hoff lamp, dywedodd wrth ei thad, gan ddechrau mwynhau ei dewrder ei hun. A chofleidiodd y ddau, i ddathlu'r ffaith fod yr ofn wedi cilio o'r diwedd.

– Ac mae gen innau gyfrinach i'w rhannu â ti, Tierra, meddai David. Mae honna'n stori wir – ar wahân i enw'r ferch fach . . . Achos stori am fy mywyd i oedd honna. Fy nhad 'wedodd y stori 'na am y lleuad, oherwydd fy mod yn ofni'r lloer yn fwy na bwystfilod rheibus. Ers iddo'i hadrodd hi, rwy'n mwynhau cerdded yn y nos, yn hoff o astudio'r sêr hyd yn oed. Ma' 'na wers bwysig yn y stori 'fyd . . .

Edrychodd Tierra arno, gan syllu'n ddwfn ac eofn i fyw ei lygaid.

– 'Sdim eisiau bod yn ofnus . . .

. . . a chyda'r geiriau hyn dyma Tierra'n symud yn wyliadwrus tuag ato, yn gafael yn dynn amdano ac yn dechrau llefain am y tro cynta o'i flaen. Erbyn iddi orffen arllwys ei dagrau dros ei ddillad, roedd hi wedi tawelu.

A dyna sesiwn therapi arall ar ben a David bron â llewygu dan y straen o guddio'i emosiynau. Daeth Zukie, ei ffrind, i'r drws i gadw cwmni i Tierra ar y ffordd adre. Roedd y daith yn dal i deimlo'n hir a hithau'n synfyfyrio am Nu Nu, ond yn benna, meddwl am Betty yr oedd Tierra; dal i feddwl am y ferch fach gyda'r holl gwestiynau a'i thad oedd yn wych a'r holl bobl oedd yn byw yn y dre ac yn ffeind iawn.

*

Y noson honno roedd David wedi trefnu i gael cinio gyda'i wraig ac yn awyddus i dreial bwyty tapas newydd ar College a Taft. Y dyddiau hyn roedd angen ei sgiliau gwrando yn y gwaith ac ar yr aelwyd. Heno roedd ei gymar yn sur – bron hyd at ddiffinio sut i fod yn sur.

– Sut ddiwrnod gest ti? gofynnodd David, a'i optimistiaeth yn ei lwnc.

– Mi wnes i eistedd yn ein cartre yn sylwi ar y gwacter. Y ffaith nad oes yna'r un peth byw yno, yn unrhyw stafell.

– Ar wahân i ti, mentrodd David, a'i lwnc yn ei stumog.

– Os taw byw yw bod yn fenyw hesb. I esgor a magu y'm gwnaed i – a nawr yr unig beth sydd gen i i'w wneud gyda 'ngofal a f'egni yw troi tudalennau'r cylchgrawn *People*. Rwyt ti wedi fy ninistrio i, David. Ti a dy fethiant. Ti a dy ddiffygion clinigol. Dy ddarnau cenhedlu bach pathetig. Hanner dyn wyt ti, os nad yw hynny'n rhy garedig.

Ac yna fe ddechreuodd lefain, rhaeadr o ddagrau a pherfformans gwerth Oscar o ochneidio, ond nid actio yr oedd hi ond torri i lawr, chwalu'n rhacs jibidêrs o flaen ei gŵr. Rhwng ei ddannedd, teimlai David ddarnau bach o dywod. Gwelai'r *sirocco* yn chwythu canhwyllau'r gwesteion eraill, fel y mae'n chwythu dros yr anial dir.

Aeth Elsbetha i olchi ei hwyneb. Archebodd David fwyd, o'r diwedd. Erbyn i'r *hors d'oeuvres* gyrraedd, nid oedd ei wraig wedi dod yn ôl. Cariodd ymlaen hebddi.

Wrth fwyta'r danteithion o'r Môr Tawel – gorgimwch mewn siwgwr palmwydd a won-ton sbeislyd – ceisiodd David ddychmygu beth fyddai ar y fwydlen i Tierra yn ei chartre'r noson honno. Roedd wedi hen arfer â'r ffaith nad oedd nifer fawr o'r plant yn yr ysgolion yn bwyta'n iawn. Bwyd tsiep yn llawn siwgwr a saim oedd y rhan fwya ohono ac roedd hyd yn oed y saim hwnnw o'r math anghywir, heb unrhyw faeth yn y byd. Freezies. McKeen's Home Fries. Chicken Isits. Monster Chews. Byddai rhai plant yn byw ar Cheerios, heb laeth. Dwy fowlennaid sych y diwrnod.

Pan ddaw ei wraig i ymuno ag e drachefn fe fydd hi'n siarad fel tase hi'n wir yn mwynhau'r noson. Ond mae hi eisoes wedi claddu'r gyllell. Erbyn y coffi, bydd David yn teimlo'n dost o weld ei gwên dros-dro, y wên sydd byth yn pylu.

*

Roedd Tierra wedi sylweddoli bod ei feddwl yn rhywle arall. Roedd hi'n sylwgar yn ei sesiynau, y llygoden gyda'r gath – David yn chwilio am bob ffordd i fewn, Tierra'n fyw i bob dihangfa, ei llygaid yn wyliadwrus, ei nerfau'n arian byw – oedd yn well na'r sesiwn cynta. Mongŵs a chobra oedd hi bryd hynny – dwy rywogaeth hollol wahanol i'w gilydd.

– What's up, doc? gofynnodd, gydag awgrym o wên yng nghil ei cheg.

Nid yw David yn ateb: mae'n teimlo fel tase fe wedi bod ar ddi-hun ers degawd a mwy, sy'n esbonio pam mae e'n edrych fel mae e, ei farf yn flêr, ei wallt fel bwgan brain. Yn hŷn.

– Mae'n flin 'da fi, Tierra. Ma' gen i broblemau gartre a dwi wedi gwneud peth anfaddeuol yn gadael i'r broblem ddod mewn i'r stafell 'ma 'da fi.

– Fe wna i faddau i chi.

Prin y sylweddolodd David ei fod e wedi defnyddio'r gair 'anfaddeuol'. Sut allai e faddau i'w wraig am daflu asid ei geiriau i'w wyneb? Ond byddai'n rhaid iddo. Roedd yn ei charu er gwaetha'i geiriau creulon – geiriau oedd yn dod o rwystredigaeth ddofn ac estron iddo fe fel dyn. 'Anfaddeuol'. Yn sicr roedd Tierra wedi hoelio'i sylw ar y gair fel un pwysig. A nawr roedd y ferch ifanc yn maddau iddo fe. Byddai ei hunan-barch yn rhacs o nawr ymlaen: am ganiatáu'r fath amhroffesiynoldeb.

– Diolch, bach.

Roedd ieithwedd gorfforol y ferch wedi newid hefyd. Roedd hi wedi closio ato ychydig a'i hysgwyddau wedi llacio tamed bach.

Ac yna fe ddechreuodd hi siarad, llif o eiriau yn tasgu'n wyllt ar adegau, am yr holl obeithion oedd ganddi cyn i'w brawd farw – sut yr oedd hi'n mynd i fod yn artist ac yn ddawnswraig ac yn fardd, ac yn sicr yn unrhyw beth oedd yn wahanol i fywyd di-ddim ei mam. Roedd hi'n gwybod bod safon yr addysg yn yr ysgol yn isel ond roedd hi hefyd yn gwybod ei bod yn bosib cael unrhyw lyfr yn y byd drwy'r llyfrgell, dim ond i chi ofyn yn gwrtais, ac ambell waith bwysleisio eich hawliau, ac roedd hi eisoes wedi darllen Dickens ac Agatha Christie a Victor Hugo . . .

– Mi ro'wn i wedi cynllunio fy mywyd yn barod, meddai Tierra wrtho, a dwi'n gwybod fy mod i'n rhy ifanc ond mae bywydau pobl eraill yn gymaint o fès, yn gymaint o anhrefn, nes bod yn rhaid i mi wneud plans. Dyw Mam ddim yn gwybod ble i ddod o hyd i ddim byd, ma'r tŷ'n draed moch, ac roedd Nu Nu wastad yn dweud . . . (Croesodd ei hunan yn y dull Catholig ar ôl ynganu ei enw, er ei bod hi ei hun yn mynychu eglwys efengylaidd Affricanaidd, lle roedd tafodau ar dân, a'r canu cystal â'r Ronettes.) Roedd e wastad yn dweud ein bod ni'n byw yn y tŷ mwya blêr yn y byd.

Anadlodd y ferch ifanc yn ddwfn, fel pe bai'n tynnu mwg sigarét i waelod ei sgyfaint.

– Ond daeth yr holl freuddwydio i ben pan fu farw Anthony. (Croesodd eto, heb feddwl am y peth.) Daeth popeth i ben y diwrnod hwnnw.

– Sut wyt ti'n teimlo am hyn i gyd? Beth yw'r geiriau sydd yn dy ben?

– Dial, o hyd. Ie, dial.

– Unrhyw beth arall?

– Na, dyna i gyd.

Edrychodd David allan drwy'r ffenestr ar fyd oedd yn llachar 'da goleuni clir Gogledd Califfornia. Roedd e'n gallu clywed sŵn plant yn chwarae ond doedd sŵn plant yn chwarae rownd fan hyn ddim yn sŵn dymunol iawn – a rhythmau hip-hop ymosodol yn is-dôn dan yr holl eiriau. Yr eirfa'n ymosodol hefyd, wrth i'r plant dyfu lan ar garlam. Myddaffyca hyn a myddaffyca'r llall a Kalashnikovs ac M1 Carbines yn cymryd lle teganau.

– Oes 'na rywbeth alla i neud i helpu, gofynnodd David.

Cwestiwn syml ond un a ddôi'n syth o'r galon. Ac atebodd Tierra ar amrant, heb oedi dim.

– Dwi isie mynd i weld cwch bach y Fenyw-Sy'n-Cysgu.

– Mae hynny'n syniad godidog. Dwi wedi bod yn ysu am fynd i'w weld o hefyd, meddai David.

Byddai'n teimlo fel tad yn mynd am drip 'da'i ferch. Byddai'n sgrifennu nodyn i'w mam yn gofyn am ganiatâd.

*

Un o longau gwylwyr y glannau ddaeth o hyd i'r cwch bach. Roedden nhw allan yn chwilio am longau pysgota oedd yn cludo pobl – Ffilipinos gan amla – yn lle llenwi'r howld efo *snapper* coch a baracwda. Tywynnai haul lemwn uwchben môr llyfn ac roedd cyfle felly i weld pob dolffin ac ambell forfil oedd wedi torri'r wyneb. Diwrnod da i fusnesa.

Lefftenant Olivero oedd wedi sbotio'r peth – smotyn

yn y pellter – a thrwy'r ysbienddrych gallai weld bod yna nifer o siarcod yn troi o'i gwmpas, er nad oedd yr un ohonynt yn ymosod nac yn ceisio moelyd y cwch.

Hardabowt amdani, 'wedodd Capten Evans a'r cytar yn torri drwy'r dŵr. Ddeng munud yn ddiweddarach roedd y criw i gyd – yr wyth morwr, gan gynnwys y ddau beiriannydd – yn edrych ar y peth rhyfedda a welson nhw yn eu bywydau.

Yn y cwch bach roedd 'na hen fenyw, â'i breichiau ymhlyg. Roedd y capten yn siŵr ei bod hi wedi marw – sut arall oedd esbonio'r ffaith fod y siarcod wedi cadw draw, er eu bod wedi dilyn y cwch bach wrth i'w ddynion afael ynddo 'da gaff a'i dynnu'n araf bach ar fwrdd yr USS *Sea Falcon*? Ond cysgu roedd hi! Wir yr, roedd yr hen fenyw yn edrych fel tase hi'n cysgu, a byddai Capten Evans yn adrodd mewn sawl bar am sawl blwyddyn sut y gwelodd anadl yn dod o'i gwefusau crin.

Fyddai neb yn medru byw am ddeng awr yn y gwres ar ganol Culfor Cortez. Roedd ei ddynion yn gorfod yfed dau litr o ddŵr bob dwy awr allan yn fan'na ond roedd y fenyw yma yn amlwg wedi bod ar y dŵr yn hir. Mi wnaeth Bones, y meddyg ar fwrdd y llong, roi drip halen yn ei braich ar orchymyn y Capten. Roedd 'na rywbeth am y fenyw – y math o beth sy'n gwrthbrofi'r holl flynyddoedd o 'studio niwroleg a ballu. Ond bron mor rhyfedd â'r fenyw ei hun oedd y ffaith fod y cwch wedi'i wneud o bapur. Byddai'r Capten a Bones wedi cael *embolism* 'taen nhw wedi sylweddoli pa mor hir roedd y cwch a hithau wedi bod ar y dŵr. Naw mis, a hithau wedi dod drwy dymestl De'r Iwerydd a heibio pengwins

Patagonia a Tierra del Fuego yn erbyn y cerrynt, cyn cael ei chario gan gerrynt Periw ac ymuno â cherrynt De'r Cyhydedd. Ymlaen ac ymlaen â hi. Doedd dim modd esbonio dim o hyn mewn termau pragmataidd. Allech chi ond ei egluro trwy gyfrwng lecsicon gwyrth.

Erbyn iddynt gyrraedd y porthladd roedd hofrenydd KNPX uwch y cei – er gwaetha rhybuddion y llynges na ddylai hofrenyddion y sianeli newyddion hedfan uwchben unrhyw safle milwrol oherwydd bod y wlad i gyd yn dal yn *Code Red*. Mae'n rhaid eu bod yn monitro sianeli'r gwasanaethau brys oherwydd roedd Capten Evans wedi cysylltu ag Ysbyty Morris Hill. Roedd ganddo syniad y byddai angen arbenigedd y tu hwnt i ysbyty'r llynges.

Dyma oedd gan Krista Winkle i'w ddweud ar fwletin pump o'r gloch KNPX, gyda'r pennawd 'Breaking News' yn fflachio fel goleudy islaw ei gwallt hirfelyn a'i llygaid clir.

– Maen nhw'n galw'r peth yn wyrth. Ugain milltir oddi ar arfordir Sir Contra Costa heddiw, mi wnaeth criw yr USS *Sea Falcon* ddarganfod menyw yn ei saithdegau yn edrych fel petai'n cysgu – mewn cwch wedi'i wneud o bapur. 'Sneb yn gwybod a yw hi'n fyw ynteu'n farw. Does neb yn gwybod pa mor hir mae hi wedi bod allan ar y môr, nac o ble mae hi'n dod ac ry'n ni'n deall nad oedd unrhyw gliw yn y cwch ynglŷn â phwy yw hi na beth oedd wedi peri iddi fod allan ar ddarn o fôr sy'n enwog o beryglus, mewn cwch wedi'i wneud o bapurau dyddiol. Un peth y gallwn ni ei ddatgelu, mae'n debyg, yw fod y sgrifen i gyd mewn

Sbaeneg. Bydd adroddiad llawn ar hyn gyda'n prif ohebydd, Rad Boquesta, yn ein newyddion llawn *Ar yr Awr*, ymhen yr awr.

*

Canodd bîper Kent Lachan wrth iddo ddatgysylltu ei gorff chwyslyd oddi wrth butain o Guatemala mewn Motor Lodge ger yr interstêt yn Pasadena. Wrth wneud pantomeim o wisgo'i drowsus, gan gwympo ddwywaith, doedd ganddo ddim syniad y byddai'n dechrau gweithio ar stori fwya'i fywyd y noson honno.

Roedd y fenyw bellach yn yr ysbyty a'r cwch wedi'i osod mewn stordy dros dro. Oherwydd bod 'na gymaint o chwilfrydedd ymhlith y cyhoedd (roedd mwy o bobl wrth y stordy na'r ciw i weld corff Lenin yn y Sgwâr Coch yn barod), bu'n rhaid creu system docynnau. Amcangyfrifwyd bod can mil a hanner o bobl wedi cyrraedd o fewn dwyawr i ddarlledu'r stori newyddion, er nad oedd unrhyw addewid y byddai'n bosib gweld y cwch bach.

O fewn dyddiau aeth Tierra yng nghar David i weld y cwch ac er iddynt orfod aros am oriau, roedd e wedi mynd i'r Genoa Deli a chael llond lle o ddanteithion – picnic go iawn – ac roedd y ferch yn gwerthfawrogi sut roedd e wedi dewis cynhwysion gan feddwl amdani, gan gofio iddi sôn am ei ffefrynnau.

Cynigiodd y biliwnydd Marty Shriver o Texas filiwn o ddoleri i unrhyw un allai ddweud pwy oedd y ddirgel-ddynes. Roedd ganddo'i resymau ei hun dros wneud hyn, gan ei fod wedi buddsoddi hanner ei ffortiwn olew mewn darpariaeth iddo ef a'i wraig, Fabienne, gael eu rhewi'n gryogenig at ddiwrnod yn y dyfodol pan allai rhywun ddod â nhw'n ôl yn fyw, er mwyn parhau â'u carwriaeth anhygoel yr ochr draw.

Mewn sgwrs ffôn gyda'r biliwnydd, dywedodd prif ymgynghorydd Cryo-Labs 2200 y gallai hirbarhad y fenyw yma fod yn allweddol bwysig i ddeall prosesau heneiddio, a thrwy hynny, fywyd a marwolaeth.

Yn yr ystafell dderbyn yn yr ysbyty roedd hanner dwsin o ddoctoriaid mwya blaenllaw'r lle yn edrych ar y data meddygol am y fenyw ac yn chwilio am y geiriau iawn – catatonia, marwgwsg, gaeafgysgu? Roedd hi'n fyw – doedd dim dwywaith am hynny, os taw anadl yw arwydd hanfodol bywyd – eto roedd yn anodd esbonio pam neu sut, ac yn sicr roedd yn amhosib egluro'r ffaith fod wyneb y fenyw yn welw a hithau wedi bod allan ar y môr cyhyd. Yn yr haul a'r gwynt.

*

Mae 'na straeon am fabanod yn cael eu magu gan fwncïod yn y jyngl, straeon eraill am ddynion cyntefig sy'n dal yn fyw yn yr Alpau a'r Himalayas. Mae 'na stori hefyd am fenyw-mewn-cwch sy'n esbonio sut y daeth iaith y Basgiaid, Euskadi, i fodolaeth.

Er mwyn dianc rhag y gyflafan yn Nhroea, roedd rhai o'r Groegiaid wedi ffoi mewn cychod a rhwyfo ar draws Môr y Canoldir. Ond dim ond un cwch, ac ynddo un fenyw, a lwyddodd i gyrraedd y lan yr ochr draw a hynny yng ngheg afon enfawr y Guadalquivir. Hyd yn oed yn fan'na, filltiroedd lawer o wlad Groeg, roedd ganddi lond bol o ofn. Felly, mi gerddodd hi tuag at ryw fynydd ar dir ynghanol y wlad – y tir sy'n amgylchynu Madrid, y dyddiau 'ma – ond yn yr unigeddau hynny roedd hi'n dal yn nerfus y byddai 'na filwyr yn dod ar ei hôl ac felly ymlaen yr aeth hi, i'r gogledd ac yn uwch ac yn uwch nes cyrraedd mynyddoedd uchel iawn y tro hwn, y Pyreneau, a dringo 'to. A phan gyrhaeddodd hi, yn y diwedd, lecyn ynghanol nunlle a dim ond y nen yn uwch na hi, mi benderfynodd na fyddai byth yn siarad ei hiaith ei hun eto, er mwyn cadw ei hanes yn gwbl ddirgel. Pan gwrddodd hi â bugail, fisoedd lawer yn ddiweddarach, roedd hi'n siarad iaith yr oedd hi ei hun wedi'i chreu. Mi gafon nhw blant ddwy flynedd yn ddiweddarach ac erbyn hynny yr iaith newydd oedd iaith yr aelwyd, er taw dim ond caban to gwair oedd yr aelwyd honno. Doedd hi ddim yn debyg i unrhyw iaith arall o gwbl ac roedd pob aelod o'r teulu'n ychwanegu pethau, yn ehangu geirfa'r iaith. Roedden nhw'n hapus iawn fel teulu, hyd at y noson honno pan ddaeth y blaidd rheibus heibio, ond stori arall yw honno . . .

Mewn dinas arall, flynyddoedd lawer yn ddiweddarach, mae menyw mewn cwch yn fater o ryfeddod.

Doedd neb wedi gweld unrhyw beth fel hyn erioed o'r blaen. Roedd y fenyw yn farw ac yn fyw yr un pryd. Roedd hi'n anadlu, oedd, ac roedd hynny'n awgrymu bod ocsigen yn cael ei gludo o gwmpas ei gwythiennau, ond doedd 'na ddim awgrym o unrhyw beth arall i gadarnhau ei bod yn fyw. Dim ond y frest yn symud yn dawel, ac aer yn mynd mewn a mas o'i cheg.

Pan edrychodd Matt Boran, y cardiolegydd, ar yr hyn yr oedd y ffalancs o beiriannau yn ei ddweud wrtho – y llinellau LCD oedd yn fflat a disymud, y blîps cyson ond di-begwn – roedd e'n teimlo fel petai hyn yn tanseilio popeth yr oedd e wedi'i ddysgu dros yr holl flynyddoedd, yn y coleg yn Harvard ac yn y theatrau'n rhoi cymorth i'r llawfeddygon eraill wrth eu gwaith. Roedd hyn yn groes i holl wybodaeth ddofn yr hen Roegiaid a oedd yn sail i'w crefft a'u galwedigaeth, sef cadw pobl yn fyw a gwella salwch. Oherwydd, dros y canrifoedd, seiliwyd yr ymchwil hir i ddeall y corff ar ffeithiau, rhesymeg, gwyddoniaeth a doedd a wnelo hyn ddim byd o gwbl â'r rheini.

Cofiai'r arbrofion yn y labordy ar y forgath bigog yn y tanc dŵr enfawr i weld a allai'r creadur fyw heb galon a heb waed – arbrofion cymhleth a wnâi iddo deimlo fel rhyw fath o Dduw, ac yntau'n cyfiawnhau'r hyn yr oedd yn ei wneud i'r pysgodyn druan drwy ddweud nad oedd hwnnw'n teimlo poen mewn ffordd gonfensiynol, bod hyn oll er lles y ddynolryw. Heb guriad calon, ni allai'r creadur amseru ei hun wrth nofio a byddai pob symudiad allan o sync, y cydamseru ar chwâl yn llwyr. Nid oedd calon y fenyw yma'n curo. Ond, fel y forgath, roedd rhywbeth yn dal i droi yn y tanc.

Ac wrth iddo sefyll wrth wely'r hen wreigan yn edrych ar y peiriannau mud, dyma un ohonynt yn dechrau arllwys rhuban papur o'i ochr a chyfres o rifau'n ymddangos drosodd a throsodd ar y ticer-têp. Doedd gan Matt ddim affliw o syniad beth oedd eu hystyr:

4557759990003428190 . . . 4557759990003428190 . . .
4557759990003428190 . . . 4557759990003428190 . . .
4557759990003428190 . . .

Mewn hanner breuddwyd – y math o beth sy'n dod i feddwl doctor sy'n dechrau credu mewn gwyrthiau, ac sy'n drwgdybio'r peiriannau diweddara – sgrifennodd y gyfres yn ei lyfr poced a chychwyn tua'r ffreutur lle roedd e wedi trefnu cwrdd â rhywun o'r cylchgrawn *People* oedd yn despret am wybodaeth. Doedd ganddo ddim byd newydd i'w ddweud. Dim byd o werth. Wel, roedd ganddo'r rhifau ond hyd yma doedd ganddo ddim syniad beth oedd eu gwerth – yn feddygol, yn wyddonol, neu, yn achos y cylchgrawn *People*, yn ariannol.

Erbyn hyn roedd y cyfryngau lledled y byd wedi gafael yn y stori ac yn treulio lot o amser yn dilyn trywydd rhai agweddau ar y dirgelwch. A'r cyfan yn eu cyfeirio i Buenos Aires, tarddle'r papurau dyddiol.

Ond roedd yn ddirgelwch meddygol yn ogystal ag un newyddiadurol ac roedd meddygon Morris Hill mewn twll. Cyn hir roedd arbenigwyr yn hedfan i mewn o bob cwr o'r byd. Un prynhawn roedd dim llai nag wyth enillydd Nobel yn sefyll o gwmpas y gwely, ynghyd â chasgliad o arloeswyr meddygol. I edrych ar Mrs Miracle.

A dyna'r peth. Byddai'n rhaid i rywun ddatgan ei bod yn farw cyn y gallai unrhyw un ei chladdu neu wneud rhywbeth felly 'da hi, ond gan nad oedd unrhyw un yn fodlon gwneud hynny, roedd yn rhaid iddi aros yn ei hunfan. Roedd yr ysbyty dan warchae gyda'r holl bobl oedd am ei gweld, oedd am wella'u hunain drwy fod ym mhresenoldeb y wyrth o fenyw. Ambell fore roedd fel Lourdes y tu allan i fynedfa'r adeilad, gyda'r National Guard yn cadw byddin o drychedigion rhag ymosod ar yr ysbyty yn eu cadeiriau olwynion.

Yn Iowa roedd cwlt sinistr wedi'i sefydlu, a oedd yn addoli'r fenyw o bell ac wedi'i bedyddio hi yn barod – Marina, menyw y môr. Roedden nhw wedi codi teml iddi, gan ail-greu'r llong mas o bapurau dyddiol ond bod y storïau'n wahanol y tro hwn oherwydd eu bod yn dod o gylchgronau a phapurau oedd yn ymwneud ag amaethyddiaeth yn benna – y math o ddeunydd darllen sy'n diddanu pobl yn Iowa.

Gallech ddarllen eu cwch yn y deml fel un hysbyseb hir ar gyfer offer fferm, a gweld datblygiad tractorau yn y parthau hynny yn y print:

. . . Yr un rhataf oll, ar gyfer newydd-ddyfodiaid i'r gwastadeddau enfawr – yr Avery 5-10 H.P., 'sy'n gwneud mewn awr waith ceffyl mewn diwrnod', yn fargen am $550 . . . ac yna res sgleiniog o beiriannau pwerus: yr Advance-Rumely Oil Pull; yr Holt Caterpillar; y Monarch Neverslip; y Bates Steel Mule; y Cletrac Tank-Type; y tractor cerosin Aultman-Taylor 15-30; y Profit Power Wizard, 'dewin ar y llethrau serth'; y Nilson; y Waterloo Boy; y Lauson Full Jewel a brenin y tractorau, y Samson Sieve Grip.

Un diwrnod mi fyddai hi'n dod, yn hwylio ar draws y caeau gwenith. Yn dod i Iowa. Dyna broffwydoliaeth Sam One-Eye wrth iddo ddarllen esgyrn yn y tân. Ac ar y Samson Sieve Grip y byddai Marina, neu ddelw sanctaidd ohoni, yn cyrraedd y dre fawr agosa, fel Iesu Grist ar ei asyn, a byddai Pobl Marina, aelodau gwallgo'r cwlt, yn taenu plisg gwenith yn lle dail palmwydd ac yn estyn croeso iddi eu tywys i unrhyw le – i wlad well neu oes wen, neu wneud fel y mynnai â nhw. Yr oeddynt oll, y Marinaras, wedi addo gwneud unrhyw beth drosti. Byddent yn fodlon rhoi eu holl eiddo i'r cardotyn nesa, neu gropian ar hyd lonydd caregog nes bod eu pengliniau'n rhubanau o gnawd coch, a hyd yn oed aberthu eu plant – mewn adlais erchyll o gyflafan Jonestown, lle bu'r plant yn yfed soda pop, o ddwylo'u rhieni, a hwnnw'n llawn o cyanid. Mae Sam One-Eye wedi gweld hyn oll. Mae e wedi clywed y rhieni'n addo popeth. Popeth. Ac mae'r llygad gwaedlyd wastad yn gweld beth sydd i ddod.

Roedd gan y byd, ie, y byd i gyd yn grwn, obsesiwn am y fenyw yma; roedd y newyddiadurwyr yn gorfod creu storïau newydd amdani er nad oedd 'na ddim gwybodaeth newydd a'u papurau yn troi'n nofelau. Yr arbenigwyr ar CNN ac ABC a Fox yn cael eu disodli gan broffwydi a seryddwyr ac awduron y llyfrau sgrifennwyd amdani ar ras – y bobl sydd bellach yn 'arbenigwyr' ar ei chefndir, achos bod teledu, fel natur, yn casáu gwactod.

Mi fydd naw deg o lyfrau'n cael eu sgrifennu am Ddynes y Llong Bapur o fewn y degawd nesa, ynghyd â deugain a mwy o ddoethuriaethau, heb sôn am y papurau academaidd fydd yn cadw timau o ysgolheigion mewn gwaith o Missoula i Uppsala. Bydd y fenyw ddi-enw yma'n tyfu i fod yn selebriti mwya'r byd, gan wneud i David Beckham a'i fath ymddangos mor anhysbys â Mrs Jones Llanrug.

Mae misoedd yn mynd heibio a dim unrhyw arwydd fod yr obsesiwn yn cilio. Yn Siapan ac America mae 'na sianeli teledu sy'n darlledu dim byd mwy na delweddau ohoni am 24 awr y dydd, yn union fel mae rhai gorsafoedd wedi bod yn darlledu lluniau o dân logiau mewn grât amser Nadolig, neu orsafoedd radio – eto yn Siapan – yn darlledu sŵn gorsaf drenau neu faes awyr, fel y gall dynion ei roi ymlaen yn y stafelloedd gwesty maen nhw'n eu rhannu gyda'u meistresi a ffonio'r wraig i ddweud sori, ond y byddan nhw'n hwyr yn cyrraedd 'nôl heno.

A phan mae 'na benderfyniad gan ddinas Oakland i'w symud o'r ysbyty a'i rhoi yn ôl yn y cwch i'w harddangos yn yr amgueddfa, mae 'na dremor moesol yn daeargrynu trwy'r wlad i gyd gan nad oes yna gynsail ar gyfer rhywbeth fel hyn. Mae 'na gymaint o stŵr fel bod y stori'n hawlio'r dudalen flaen am bythefnos, er gwaetha Irac ac Affganistan a'r gostyngiad ym mhrisiau tai o Dallas i Duluth; er gwaetha ansicrwydd dybryd yn y farchnad stoc, fel bod y Dow Jones a'r Nasdaq yn disgyn yn ddigon clou i ddynion fod yn neidio allan o nendyrau wrth iddynt weld eu ffortiynau'n diflannu ar sgriniau eu cyfrifiaduron. Er gwaetha hyn i gyd, y stori fawr yn yr *LA Times* a'r *Seattle Examiner* a'r *Washington Post* a'r *New York Times* yw'r fenyw sy'n cysgu.

Mae hi'n hawlio tudalennau blaen papurau ym mhob cwr o'r byd, gan gynnwys yr Ariannin. Ond mae dau ŵr a allai fod wedi esbonio popeth, wel, pwy oedd hi, o leia, wedi marw o fewn wythnos i'w gilydd.

Lladdwyd y doctor mewn damwain car ar y ffordd i Rio de la Plata ond bu farw ei gŵr, Horacio, oherwydd bod ei galon wedi'i hollti'n ddwy o golli ei gymar. Dim ond Jaime, y bachgen o'r fflat uwchben, sydd ar ôl i adrodd y stori ond mae e'n fud – am nawr, o leia. Wrth gwrs, mae'n sylweddoli bod y byd i gyd yn chwilio am atebion, ond mae'n teimlo nad oes ganddo fawr i'w gynnig – dim ond pwy oedd hi, a phwy oedd ei gŵr, ac o ble daeth y papur. Gan mai fe ei hun oedd wedi'i gasglu.

Ond un noson, wrth chwarae gwyddbwyll gyda Manuelito, mae Jaime'n gofyn iddo am gyngor, ac mae Manuelito yn methu credu'r hyn mae'n ei glywed.

*

Croeso i swyddfa Specky Kravitz, dyn heb foesau. Desg yw swyddfa Specky, ac mae'n sefyll wrthi'i hunan mewn stordy hanner ffordd rhwng San Francisco a Sacramento – ardal o gorstir diffaith sy'n llawn hen geir a labordai crac, a phobl fel Specky, sy'n byw mor bell â phosib o fyd y gyfraith.

Mae'r haul yn codi, gan wthio cysgodion y nos o'i flaen. Wrth ymyl Specky mae peiriant rhedeg ac arno gawr o Rotweiller a chadwyn drom ar y diawl am ei wddf, yn gwneud 1.6 milltir yr awr. Tu ôl i'r ddesg eistedda'r enwog Specky, gynt o'r CIA, ond sydd bellach yn gweithio ar ei liwt ei hun, yn ennill doler ym mha bynnag ffordd sy'n bosib.

O'i flaen ar gadeiriau metel mae Mr Pink, sydd wedi

bod allan o garchar Angola am bythefnos gyfan (rhyw fath o record iddo) ac wrth ei ymyl, Mr Black. Rhwng y ddau mae 'na sach ac yn y sach mae rhywbeth yn stryglo.

– Beth sydd yn y sach, foneddigion?

– Nid *beth* yw'r cwestiwn.

Sach fechan oedd hi. Roedd cynnwys y sach yn amlwg yn awchu am gael dod allan.

– Ma' 'da chi blentyn yn y sach?

– Na. Corrach.

– Corrach?

– Corrach.

Mae Mr Pink yn gwenu. Sioc yw ei hoff beth.

– Ma' bywyd wastad yn syndod i mi, meddai Specky, wedi drysu. Corrach. Ga i ofyn pam?

– Gwobr.

– Gan awgrymu fod 'na gystadleuaeth . . . ?

– Wel, dywedodd Mr Black, mi roedd y bois a minnau lawr yn y *cantina* yn yfed margaritas pan ofynnodd rhywun pwy fyddai'r person gorau i'w herwgipio yn yr ardal er mwyn hawlio'r pridwerth mwya. Mi wnaeth Spade Brewer awgrymu hit ar deulu McLarty, achos bod Larry McLarty yn un o'r bobl fwya cyfoethog yn y byd, ond fel 'wedodd Mr Green, yn ei ffordd fwya pragmataidd – gan ddynwared:

– Ma' gyda fe'r seciwriti fyddech chi'n ei ddisgwyl i gyd-fynd â'i statws . . .

– Felly, mi wnaeth rhywun wedyn awgrymu herwgipio rhywun sy'n perthyn i McLarty a dyma Mr Purple yn dweud bod brawd yng nghyfraith McLarty yn gweithio yn y syrcas i lawr wrth Pier One. Roedd e'n hawdd i'w adnabod, medde fe, oherwydd bod ganddo fan geni enfawr lliw sudd mafon yn gorchuddio hanner ei wyneb a'i fod yn gorrach.

A dyna sut y bu iddynt fynd i'r syrcas y noson cynt ac eistedd yn y blaen, ymhlith y plant oedd yn sgrechian nerth eu pennau – y criw o droseddwyr ffyrnig yr olwg yn eu dillad stand-owt nad oedd yn chwerthin ar y clowniaid nac yn rhyfeddu at gampau'r dynion o Rwsia ar y trapîs nac yn meddwl bod y dyn â'i ben yng ngheg y llew yn ddewr ond yn hytrach yn stiwpid. Yr unig bryd y gwnaethon nhw dalu sylw oedd pan ymddangosodd corrach o'r enw Jimmy Bean yn gyrru un o'r ceir hynny lle mae'r drysau'n chwythu i fyny a'r peiriant bach yn gwneud sŵn torri gwynt wrth iddo fynd rownd a rownd yn ddi-stop.

(Erbyn y darn yma o'r stori roedd Specky wedi'i ddrysu gan yr holl liwiau. Yn y sach roedd y corrach yn gwneud sŵn mogu.)

Fe gerddodd Mr White rownd i gefn y babell a phan ddaeth y clown i'w stafell wisgo ar ddiwedd ei act arferol roedd Mr White yn cwato tu ôl i'r drws gyda chlwtyn a chlorofform ac mewn chwinciad roedd y corrach yn ei sach.

(Heb yn wybod i Mr White roedd un o'r ditectifs yr oedd McLarty'n eu cyflogi i sicrhau diogelwch pob aelod o'i deulu estynedig wedi gosod micro-drosglwyddydd dan groen pob un ohonynt. Petai angen dod o hyd i rywun, gallai'r GPS. ddangos yn union ble roedd pob un o'r micro-sglodion.)

Ond, am nawr, mae'r corrach fel ffured yn y sach sydd rhwng y dau ddyn. Mae Specky'n diffodd y peiriant rhedeg ac mae'r roti yn cerdded braidd yn sigledig draw at blât porslen lle mae 'na Aberdeen Rib-eye sy'n ddigon i fwydo cnud o lewod yn ei ddisgwyl.

Mae Specky'n dweud wrth y ddau am ffonio McLarty ar unwaith gan ddefnyddio ffôn ar y stryd a gofyn am drosglwyddo'r arian yn electronig i gyfrif yn Ynysoedd Cayman (mae dyddiau gadael bagiau duon yn llawn doleri mewn llefydd cyhoeddus wedi hen fynd, fel y gwyddoch). Y tric y dyddiau yma yw gosod walydd tân electronig digonol fel na all hyd yn oed yr FBI. ddilyn hynt yr arian wrth iddo ddiflannu ar hyd y weiar.

– A ble mae'r lleill? gofynnodd Specky.

– Ma' nhw wedi mynd i ddwyn y cwch papur.

– Y cwch?

– Y feri un.

O'r sach, mae'r tri dyn yn clywed llais egwan a phathetig yn datgan yn grynedig . . .

– Dwi'n starfio. Plis, alla i gael rhywbeth i' fwyta?

Mae aeliau Specky'n codi fel gorchymyn i ryddhau'r dyn bach.

Siâp od y pen sy'n dod i'r amlwg – a'r llygaid yn smicio'n wyllt wrth ddelio 'da'r goleuni sydyn. Cyn i Specky ffonio Haiti Pizza, sydd ar agor 24/7, mae'n gofyn i'r carcharor beth mae e ei eisiau.

– *Pepperoni* gyda llwyth o *jalapeños*.

Ac mae Specky'n ailadrodd yr ordor ar y ffôn wrth i'r corrach gamu, ar ei goesau byrdew, o enau'r sach.

– Llwyth o *jalapeños*. Dyna'r ateb, meddai'r corrach, yn wên o glust i glust o glywed fod 'na *pizza* i frecwast.

*

Mae gweddill y criw yn eistedd mewn *diner* yn yfed coffi ac, yn y dull ôl-fodernaidd, yn dadansoddi ystyr Madonna fel eicon, gan restru ei rhinweddau hi. Mae 'na ffrae ynglŷn â'r tip i'r fenyw sy'n gweini arnynt, oherwydd mae'n fater o egwyddor gan Mr Scarlet nad yw e byth yn tipio a bron bod 'na ymladd ynghylch y mater. Senario sy'n gopi slafaidd o agoriad *Reservoir Dogs* heblaw bod 'na fwy o liwiau yn y gang yma ac yn wahanol i gonfensiwn y ffilm honno – lle mae Tarantino yn newid trefn gronolegol y digwyddiadau – mae'r gang hon yn gorfod dilyn amser llinol, ac felly dyma nhw'n gadael y *diner* mewn tri char ar eu ffordd i ddwyn y cwch bach.

Mae 'da nhw gwsmer ym Mrwsel yn barod sydd wedi cynnig pedair miliwn ewro am y cwch, ac maen nhw'n teimlo mor haerllug o sicr y bydd y job yn un hawdd – dodl, a dweud y lleia – fel eu bod nhw eisoes wedi trefnu lleoliad i gwrdd â dyn sy'n gweithio i'r cwsmer, a fydd yn aros yn anhysbys oherwydd ei fod e'n ddyn gyda chymaint o ddylanwad.

Er bod Mr Pink wedi bod i edrych ar y cwch ddwywaith, ac wedi gorfod ciwio am bum awr ar y ddau achlysur, i gasglu gwybodaeth am ble roedd y camerâu a bod y cwch ar blinth tu mewn i reiliau dur trwchus, ni thalodd y gang fawr o sylw i'r manion yma. Roedden nhw wedi penderfynu defnyddio dull symlach, ond effeithiol, o fynd mewn i'r amgueddfa.

Yn gynnar, gynnar yn y bore. Stryd heb bobl. Refiodd Mr Blue injan y tryc enfawr ac edrych ar y deial yn codi wrth y fil wrth i'w droed wasgu i lawr ar y throtl. Teimlai bŵer y Mac a gallai glywed sŵn y pŵer hefyd. Ar fryn uwchben yr amgueddfa, roedd yn disgwyl am neges ar ei ffôn lôn i ddweud ei bod yn amser iddo yrru fel cath i gythraul. Fflachiodd y gair 'Nawr'. Roedd Mr Purple wedi gwasgu 'Send' ar ddamwain.

Yn ffodus doedd 'na braidd ddim ceir ar yr hewl ac roedd Mr Blue lan i 180 k.y.a. wrth iddo droi i lawr Masonic i Stark, gan droi ar bump olwyn, bron, wrth fynd â'i lwyth o frics (yn bwysau ychwanegol) tuag at yr amgueddfa. Wrth iddo nesáu ar ras at ddrysau ffrynt y lle, mi welodd am 'chydig eiliadau pa mor rong oedd hyn i gyd. Nid un ceidwad nos oedd yno ond yn hytrach gatrawd lawn o'r Gwarchodlu Cenedlaethol. A doedd ganddo ddim amser i rybuddio'r bois yn y ceir eraill oherwydd am un waith yn eu bywydau roedden nhw wedi llwyddo i wneud un peth yn broffesiynol iawn. Sef cyrraedd yr un pryd â fe. Mae'n bosib fod rhywun – rhyw filwr yn ei ugeiniau cynnar – wedi gweiddi stop ond saethwyd mil dau gant wyth deg a thair o fwledi gan y Gwarchodlu. Doedd hyd yn oed y rheini ddim yn ddigon i stopio'r jygarnot wrth iddo chwalu ffrynt yr adeilad yn yfflon, ac roedd crybibion mân ym mhobman wrth i'r milwyr ruthro i weld beth oedd wedi digwydd i'r cwch. Ond roedd y cwch yn iawn, er gwaetha'r llanast, y dwst o gyfnod Ming a'r darnau o demlau'r Aifft. Roedd y lori wedi chwalu drwy dair oriel o drysorau ond, wrth i olau'r dydd dorri drwy'r cymylau llwch, edrychai'r cwch fel petai'n tywynnu ei hun.

Yn *Reservoir Dogs* mae'r bois drwg i gyd yn marw fesul un. Ond mae bywyd yn wahanol i'r mŵfis, y rhan fwya o'r amser, ta p'un. Ac roedd y ffeinal-shŵt-owt yn debycach i'r *Untouchables* neu *Kansas City* na *Reservoir Dogs*. Yr holl fwledi 'na. Mewn dinas gyda gormod o drais yn barod.

*

Chwe mis union wedyn, filltir union o ble roedd ei brawd wedi marw, fe gafodd Tierra ei bedyddio yn Eglwys Gymunedol Bryn Calfaria, ei chorff mewn urddwisg wen wrth iddi gael ei throchi yn y dŵr, gan olchi ei phechodau a'i henaid yr un pryd. Dawnsiai golau rhyfedd drosti – ffotonau anesboniadwy.

Yn sefyll y tu ôl iddi mae ei mam a thu ôl iddi hithau mae gwarcheidwaid Tierra, sef David a'i wraig Elsbetha. Maen nhw wedi sefydlu cronfa i dalu am ei haddysg a phethau llai sylweddol fel gwersi dawnsio, ac mae ei mam yn hapus ddigon fod David ac Elsbetha yn treulio cymaint o amser gyda hi ag y mae nhw'n ei ddymuno, dim ond bod Tierra'n dal yn hapus i rannu'r amser 'da nhw. Roedd hi am gael ei bedyddio er mwyn gwneud yn hollol siŵr y bydd yn mynd i'r nefoedd. Yno, mae'n credu y bydd yn gweld Nu Nu eto, ac yn gofyn iddo chwarae ei gitâr.

114

Mae yna angladd arall ochr Emeryville i'r ddinas, lle mae Specky Kravitz a'r corrach – sydd bellach yn gweithio fel cyfrifydd iddo, ac wedi ennill ei fara menyn yn barod drwy hawlio disgownt hael gan y trefnydd angladdau am eu bod yn claddu cynifer o ddynion yr un pryd – a chynrychiolaeth go sylweddol, ond annisgwyl, o'r Oakland Police Department, gan fod yr heddlu'n falch calon fod nifer mor sylweddol o arch-elynion y gyfraith wedi mynd i'r carchar-in-ddy-sgei.

Ond prin fod neb yn y ddinas wedi sylwi ar yr un o'r angladdau yma oherwydd bod yr Arlywydd yn agor yr arddangosfa heddiw, yr arddangosfa ryfedda yn hanes y ddinas, y dalaith a'r wlad i gyd. Er gwaetha'r ffaith fod blaen yr adeilad ar goll, mae Ticketline wedi derbyn dim llai nag wyth miliwn o archebion yn barod; mae pob stafell ym mhob gwesty yn y ddinas yn llawn am bum mlynedd a nifer sylweddol o drigolion y ddinas yn ystyried symud allan er mwyn rhentu eu stafelloedd, a hyd yn oed eu tai, i ymwelwyr. Mae'r Pab ar ei ffordd fis nesa. 'Sneb yn mynd i San Francisco bellach, ac mae'r ddinas honno ar ei lawr.

Yn Oakland, 'y ddinas sy'n ffynnu', mae 600,000 o bobl yn byw. A bydd pob un o'r rhain yn ymweld â'r amgueddfa yn ei dro – rhai'n cario eu plant, ambell un yn cario offrwm. Dod i ddathlu bywyd neu ateb cwestiwn. I ddeall y ffws, neu brynu swfenîr. I edrych ar dawelwch sanctaidd yr hen fenyw, sydd, i rai pobl, yn edrych fel petai hi'n anadlu. I eraill, mae'n edrych fel tase hi'n cysgu. I nifer fawr, mae'n edrych yn gyfangwblgelainfarw.

115

Pŵer y Fenyw-Sy'n-Cysgu yw ei bod yn medru ateb pob dymuniad. Ambell waith, mae'n edrych fel mam-gu rhywun sydd newydd golli mam-gu. I ambell ymwelydd o Iowa, mae hi'n edrych fel duwies. I leidr, mae'n edrych fel ffortiwn. Ac i rywun sy'n dod o'r Ariannin, mae'n edrych yn gyfarwydd. Rhywbeth obutu'r aeliau, a'i thrwyn.

Ei Hirdaith Olaf

Yn Efrog Newydd, ymysg yr holl hysbysebu LCD ar Times Square, roedd 'na ddathlu megis dathliadau'r Flwyddyn Newydd yn gymysg â thristwch ei bod Hi'n gadael y ddinas, yn gadael y wlad, yn gadael y cyfandir hyd yn oed. Ond llawenydd hefyd ei bod yn mynd i ledaenu ei newyddion da. Bod 'na fwy yn perthyn i'r byd nag y mae unrhyw un yn ei ddeall. Gwyrthiau. Pethau'r tu hwnt i reswm, sy'n ddirgel hyd yn oed i'r gwyddonwyr gorau oll a'u holl deganau rhyfedd. Mae Marina'n gadael nawr.

Lawr drwy Harlem a thrwy gochddail Central Park ac yna ar hyd Broadway yr aeth ei gosgordd, trwy'r East Village, yna ymlaen heibio brownstôns Greenwich Village, ac ar hyd pob cam o'r daith roedd 'na bobl, miliynau o bobl, yn gweiddi a llefain, yn udo a gweddïo. Dyna hi'n mynd. Codwch eich wyrion ar eich ysgwyddau, er mwyn iddyn nhw fedru dweud wrth eu plant eu hunain: mi roeddwn i yno.

Effeithiai ar bawb a'i gwelai. Ei phŵer oedd ei thangnefedd.

Edrychwch ar lyn llonydd, ei wyneb fel arian byw, yn dawel a disymud. Ond cofiwch am y miloedd ar filoedd o dunelli o ddŵr sydd dan yr wyneb hwnnw a sut y byddai'r llyn yn medru boddi'r cwm gerllaw mewn llai

117

nag awr. Dyna'r math o bŵer sydd gan y fenyw. Hwnnw, a'i dirgelwch hanfodol.

Roedd holl gynrychiolwyr y Cenhedloedd Unedig ar y cei ger adeilad Awdurdod y Porthladd i barchu ei munudau ola yng Ngogledd America, pob un mewn gwisg draddodiadol neu mewn *tuxedo*. A miwsig ym mhobman, o'r bandiau milwrol swyddogol i bobl yn chwarae hip-hop drwy ffenestri'r ceir. Cludid y Fenyw-Sy'n-Cysgu mewn casyn o wydr bwlet-prwff wedi'i addurno â ffiligri o aur – rhodd gan eglwys newydd sbon yn Tegucigalpa yn Honduras. Gosodwyd y cwch yn y casyn ar lwyfan ysblennydd a wnaed drwy gerfio un darn o bren cedrwydden Libanus; roedd y criw o gerfwyr Ffilipino (fu'n meithrin eu crefft yn yr Eglwys Gatholig) wedi creu creaduriaid y môr i addurno'r ochrau – naw llamhidydd yn tasgu o'r dŵr mewn ffwydrad o ddarnau pren goleuach, a phrysurdeb o bysgod bach trofannol yn cuddio rhwng tyfiant *maquette* o gwrel a fforest o wymon.

Roedd hi'n brydferth yno. Roedd y ffaith fod y stribedi o bapurau dyddiol yn dechrau melynu yn gwneud i'w chroen edrych yn wynnach, yn debycach i alabastr, neu hyd yn oed wyngalch. Y ddynes oedd ddim yn fyw ond a oedd yn anadlu. Y wyrth odiaf.

Yn ogystal â'r dorf, safai mintai forgrugaidd o'r NYPD ar hyd y cei, pob cop yn ei lifrai du swyddogol. Ac roedd y llong enfawr yn llawn trysorau. Addaswyd y leiner traws-Iwerydd urddasol *Queen Elizabeth II* yn unswydd ar gyfer y Fenyw-Sy'n-Cysgu; newidiwyd yr enw mewn seremoni theatrig gyda rhaeadrau o siampên a thicer-têp a chaniatâd y teulu brenhinol yn Lloegr. Roedden nhw bellach yn byw yn eu hunig balas yn Balmoral, yn giwed grintachlyd a sur. Nawr bod y grefydd newydd wedi setlo yn y Deyrnas Ranedig, roedd rôl y teulu wedi lleihau, wedi newid, ac wrth i'r bobl fabwysiadu gwerthoedd newydd roedd y Brenin wedi gorfod ildio'r goron. Dyna'r dewis – hynny, neu symud i fferm ddefaid anghysbell yn Awstralia, ble roedd pobl yn casáu haerllugrwydd y teulu hyd yn oed yn fwy.

Oherwydd eu bod wedi gorfod addasu'r llong i'r safonau diogelwch ucha posib – yn oes y terfysgwyr roedd y llong ar frig y rhestr o dargedau posib – penderfynwyd llenwi'r leiner gyda phob math o bethau prin a gwerthfawr. Gwnaethpwyd hyn am dri rheswm: er mwyn manteisio ar y lefelau diogelwch; er mwyn profi hefyd nad oedd arnynt ofn y gelyn; ac yn benna, i gael rhywbeth i ddangos i'r ffyddloniaid tra oedden nhw'n disgwyl eu tro i'w gweld Hi (yn Efrog Newydd roedd y ciw-parchu'r-meirw wedi bod yn nadreddu'n hwy nag ar gyfer Lenin a Lennon a Diana a Mao gyda'i gilydd).

Mae gan Marina uned arbennig o filwyr yn ei gwarchod, yn rhodd gan yr Unol Daleithiau, sef un brigêd cyfan o'r Berets Pinc. Mae'r rhain fel y Green Berets, ond bod eu capiau'n binc i adlewyrchu'r ffaith eu bod yn ddynion hoyw, a chan fod y fyddin wedi bod yn draddodiadol homoffobig mae'r bois yma'n fwy caled, wedi gorfod wynebu hyfforddiant caletach hyd yn oed na gweddill y Marines. Maen nhw'n cael eu hystyried yn fwy tyff na'r Foreign Legion ac mae 'da nhw hawliau cwbl unigryw. Mae 'da'r rhain hawl i beintio ewinedd eu traed. Unrhyw liw maen nhw'n ei ddymuno.

Llanwyd y llong 'da gwyrthiau. Hofrenwyd gemwaith anhygoel o gasgliad biliwnydd yn Houston a chyfrannodd yr Aifft drysorau o Ddyffryn y Brenhinoedd – enghraifft o wlad Foslemaidd yn ceisio cadw'r ddysgl wleidyddol yn wastad. Creiriau o ddwy fil pum cant o flynyddoedd cyn Crist. O sychder yr anialwch.

Ac roedd athroniaeth adeiladwyr y Pyramidiau – trionglau llafur caled yr holl gaethweision dan ofal Cheops, Chephren a Mycerinus a'u bath – yn cyd-fynd yn dda â phresenoldeb yr hen fenyw, Marina, ar fwrdd y llong. Dangosai'r hen, hen Eifftwyr gariad at natur – sy'n amlwg, amlwg o weld yr holl hieroglyffau sydd ganddynt i gynrychioli'r gwelyau hesg, y blodau a'r bwydydd fyddai ar gael i bobl yn yr arallfyd, y tu-hwnt-le. Byw am byth oedd eu bryd, fel mwyafrif selogion ffydd Marina. Rhowch i ni fwy o hyn, mwy eto o'r cyfleoedd anhygoel i fwynhau a gweld a synhwyro! O, chwi dduwiau niferus, byddwch drugarog a rhoi i ni ddyfodol amhenodol.

A byddai ymwelwyr ar fwrdd *Marina's Star*, sef enw newydd y bad, yn cerdded heibio i gerflun arswydus o fawr o Ramses II, colosws go iawn, cyn symud ymlaen i syllu'n syn ar gasgliad o gyrff brown, mymis wedi'u lapio fel babanod, ac ewinedd eu traed yn dod â deigryn i'r llygad, heb sôn am yr olwg ola oll ar eu hwynebau cyn iddynt adael am fyd yr hesg. Yn ogystal â hyn, roedd cistiau arbennig ar gyfer perfedd Ramses, a phenglogau marmor yn cynrychioli buwch y dduwies Hathor a'r hipopotamws-dduwies Tawaret, sarcoffagi aur, ambell sgarab amhrisiadwy . . . Mae rhai'n credu taw gwraig Ramses yw Marina, ar sail proffwydoliaeth mewn lluniau lle mae brenhines yn cyrraedd y lan mewn cwch o bapurfrwyn. Ac mae'n wir fod ei chwch hi yn od o debyg i un ar fur mewn teml dan y tywod. Fyddai'n esbonio'r wên ar wyneb aur yr hen Ramses.

Yn eu byd nhw, yr Eifftwyr gynt, roedd gan bob person bump math o hunaniaeth. I ddechrau, roedd yr enw; yna'r *ka* – yr enaid – wedi'i greu ar olwyn gan y crochenydd mawr Khnum, yr eiliad rydych chi'n dod i'r byd; yn drydydd, daw'r *ba*, neu'r enaid sy'n cael ei weld fel aderyn, y ciconia; wedyn, eich calon ac yn olaf, eich cysgod. Wrth y drws i'r arallfyd byddai'ch calon yn cael ei phwyso ar dafol yn erbyn pluen – pluen gwirionedd a chyfiawnder. Os byddai'n rhy drwm, byddai'r galon yn cael ei llyncu gan anifail oedd yn hanner hipo a hanner crocodeil. Mor ysgafn â phluen.

Yng nghrombil *Marina's Star*, tu hwnt i ryfeddodau'r Aifft, gallwch weld rhesi ar resi o wyau mewn raciau mahogani, pob aderyn dan haul, wedi'u casglu gan ddyn hollol obsesiynol o Belize. Ar ddec wyth, Dec y Llyfrau, gallwch weld y Llyfr Mawr, hanes Marina, ynghyd â llu o ryfedd-lyfrau eraill – cynnyrch Caxton a'i wasg, llawysgrifau perffaith o'r Canol Oesoedd a'r Beibl anhygoel o Gutenberg – y cyfan nawr yn hwylio i Rio ar gyfer y Carnifal, i New Orleans i'r Mardi Gras.

Mae'r llong urddasol ar daith i bob cwr o'r byd, i borthladdoedd sydd mor brysur â chychod gwenyn, fel Hong Kong gyda'i sampans a Shanghai â'i grym ariannol yn amlwg yn nhwf ei fforestydd plecsi-glàs, y nendyrau sy'n codi wrth yr awr. Mae'r daith yn un hir, a dweud y lleia, i Daiwan â'i adlewyrchiad heriol – Chaozhou – ar dir mawr Tsieina. Yn ôl ac ymlaen â hi.

Ymlaen at ddiwydiant trwm Almeinig Bremen; i blith y crachach diamwntlyd ym Monaco; y gwres llethol yng Ngharolina; y lagŵnau disglair o gwmpas Fenis; y stordai fel cestyll ar gyfer y gwin sy'n llifo o ddociau Varna ym Mwlgaria; pensaernïaeth wych, ramantus Montreal; y Beatles ac arogl mwd hallt afon Mersi yn Lerpwl; y dawnsio yn Antigua, y masnachu yn Rotterdam, yr oerfel parlysol yn Stockholm a'r diléit disgamsyniol sydd 'na yn Copenhagen. Ac ym mhob porthladd mae 'na bobl yno i'w chroesawu. Miloedd. Miliynau. Mwy.

Yn Bremen, amcangyfrifwyd bod hanner poblogaeth y ddinas yno i'w gweld a bu un drasiedi ofnadwy pan wnaeth ugain mewnfudwr o Dwrci, oedd wedi adeiladu platfform uwchben eu fflat er mwyn i'w ffrindiau fanteisio ar yr olygfa, gwympo ugain llawr ar ben y crowd mawr oddi tanynt. Cafodd angladdau'r chwe deg wyth person, gan gynnwys deg plentyn, eu cyplysu â gosgordd Marina o gwmpas y ddinas, ac roedd 'na sancteiddrwydd dwfn yng nghalon y galaru. Y digwyddiad hwn ddenodd y gynulleidfa deledu fyd-eang fwya mewn hanes, jyst cyn bod teledu'n diflannu unwaith ac am byth.

Does yr un awyren yn medru dod ar gyfyl y llong, gan fod hedfan yn y gofod awyr uwch ei phen wedi'i wahardd am filltiroedd. Yn ystod un rhan o'r daith mi geisiodd criw o fôr-ladron Somalaidd ddod yn agos ati ond mi chwythwyd y cwch a'r peirets yn fatsys gan awyrennau o'r Eidal. Mae pob llynges yn y byd yn cyfrannu llongau rhyfel i'w gwarchod, hyd yn oed Bolifia, sy'n wlad heb arfordir. Eto, mae ei llynges, ar Lyn Titicaca, wedi danfon cwch. Un bach. Tri llongwr.

Ar fwrdd y llong, yn Ystafell yr Ulw y mae pobl yn aros hira tra byddan nhw'n disgwyl am gyfle i weld y Llyfr Mawr cyn ymweld â Hi. 'Sneb yn deall pam yn union. Efallai oherwydd bod y casgliad mor annisgwyl, ac arogl tân yn rhoi tinc o ofn i rywun wrth fynd i mewn i'r stafell arddangos. Ydy'r cwch ar dân? Arogl y pentyrrau duon, y twmpathau llosg, yn sur yn y trwyn.

Llyfrau y mae pobl wedi'u llosgi o bryd i'w gilydd sydd yma. Cloriau duon wedi colli teitl ac awdur. Pentyrrau duon o'r *Satanic Verses* gan Salman Rushdie wedi'u smyglo mas o Iran, mewn ffordd fwy peryglus nag y gwnaeth unrhyw un eu smyglo nhw i fewn. Cas gwydr, yn ddigon o seis i gadw llwyth o adar byw, yn dala copïau o'r Talmud, y llyfr sydd wedi'i losgi'n amlach nag unrhyw lyfr arall yn hanes y byd, y tudalennau'n grin 'da effaith fflamau, yn Lublin, yng Nghairo, ym Mharis. A nesa atyn nhw mae rhai o'r pethau diweddara i gyrraedd y casgliad – wyth copi o *Harry Potter and the Sorcerer's Stone*, wedi'u tanio gyda ffag-leiter Zippo gan efengylwyr ffwndamentalaidd ym Mhensylfania, oedd yn protestio yn erbyn gwrachod a hud a lledrith yn yr unfed ganrif ar hugain. Dyma beth mae'r anwar yn ei wneud. Llosgi llyfrau. Y weithred waetha yn erbyn gwareiddiad. Pan losgwyd y copi cynta o Lyfr Ffydd y Marinara, gan Sufi oedd wedi'i

123

gynddeiriogi gan yr hyn a ddarllenai am y Fenyw-Sy'n-Cysgu, mi wnaeth swyddogion yr eglwys yn siŵr eu bod nhw'n cael y llwch yn ôl. Y llwch sanctaidd, sanctaidd.

Canolbwynt y stafell yma yw casgliad bach o lyfrau â chloriau melyn golau ac ysgrifen anghyfarwydd i'r rhan fwya o ymwelwyr yn ymestyn dros y clawr ac i lawr yr asgwrn cefn. Pam? Oherwydd mae 'na sôn taw dyma ei hoff lyfrau Hi, o'i llyfrgell bersonol. Yn ei chell, ar y mynydd, yn ôl y chwedl.

Yn y dyddiau tywylla, yng nghanol yr unbennaeth fwya cadarn, hallt a sicr, roedd yr awdur Pramoedya Ananta Toer yn byw yn Indonesia. Dyn creulon tu hwnt oedd yn teyrnasu, ac roedd grym septig ac ofn paranoid ym mhobman: cymydog yn bradychu cymydog, brawd yn bradychu brawd. Arestiwyd Pramoedya yn '65 a llosgwyd pob llyfr yn ei dŷ yn y fan a'r lle. Coelcerth o addysg, fflamau uchel o biniwn, a thafodau oren o ysgolheictod.

Llygaid didostur oedd gan y plismyn – aelodau'r heddlu cudd, ddaeth draw i gartre Pramoedya – llygaid cartŵn, pyllau o iâ.

I ddeall yr olwg ddieflig yn eu llygaid, mae'n rhaid i chi glywed y jôc 'ma am Auschwitz, a chyn i'ch nerfau rhyddfrydol ddechrau gwichian, Rabi o synagog yng ngorllewin Llundain ddaeth i ymweld â'r llyfrgell annisgwyl ar y llong – i edrych ar y Talmwdau 'na i gyd yn Ystafell yr Ulw – 'wedodd y stori yma.

Fe gafodd Iddew ei ddal yn dwyn rhywbeth dibwys yn y gwersyll, taten efallai, neu dudalen o lyfr, a'i lusgo

124

gerbron y Commandant, a 'wedodd wrtho ei fod yn teimlo mewn mŵd da oherwydd ei fod newydd ddychwelyd o Berlin lle roedd gwyddonwyr clyfra'r Almaen wedi gwneud llygad gwydr newydd iddo, a hwnnw'n union fel yr un go iawn. Felly, dywedodd wrth yr anffodusyn y byddai'n rhoi cyfle iddo achub ei fywyd bach pathetig ei hun. 'Os y'ch chi'n medru dweud p'un yw'r llygad iawn a ph'un yw'r llygad gwydr, efallai – efallai – y gwna i adael i chi fyw. Wel?' Heb unrhyw oedi o gwbl, dyma'r Iddew yn dweud taw'r llygad de oedd yr un iawn. 'Sut oeddech chi'n gwybod hynny?' mynnodd y Commandant. Ac meddai'r Iddew: 'Oherwydd yn y llall roedd 'na fymryn bach, bach o gydymdeimlad.'

Llygaid fel hynny oedd llygaid yr heddlu cudd.

Mi wnaeth yr heddweision â'r wynebau sbeitlyd guro Pramoedya mewn ffyrdd mor filain a ffyrnig nes iddo golli ei glyw. Heb weld na llys na barnwr na dim byd felly, aeth yn syth i Ynys Buru, lle cafodd ei garcharu am bedair blynedd ar ddeg, heb na phensil na phapur am y rhan fwya o'r blynyddoedd hynny. Er gwaetha hyn, mi gyfansoddodd nofel mewn pedair cyfrol, 'Pedwarawd Buru', a dyma'r llyfrau melyn sydd o'ch blaen ar y foment.

Sut gwnaeth y gwaith yma oroesi? Ofnai Pramoedya y byddai'n anghofio'r hyn yr oedd e wedi'i greu, felly, bob nos byddai'n adrodd y gwaith i'w gyd-garcharorion, cynulleidfa o sgerbydau. Tua diwedd ei gyfnod yn y carchar, o'r diwedd rhoddwyd teipiadur iddo ac yna, yn ei fyd o dawelwch, ar wahân i sŵn fel hisian tonnau yn ei glustiau, mi sgrifennodd y dilyniant o weithiau oedd wedi bod ar gof a chadw gan academyddion a threiswyr a llofruddwyr a lladron ac athronwyr yn y carchar cyhyd.

Fe oedd un o'r rhai ola i adael Buru, 'nôl yn un naw saith naw, a bu'n rhaid iddo fyw'n gaeth yn ei gartre am dair blynedd ar ddeg arall wedyn. Eto, mae ei gampwaith ar fwrdd y *Star* ac mae mynach o Bhutan yma i ddarllen y gwaith i'r ymwelwyr os byddan nhw'n dewis. Mae'r darlleniad yn para'n agos at bedair awr ar hugain, a'r mynach ddim yn stopid o gwbl, ddim am fwyd, ddim er mwyn mynd i'r tŷ bach, ddim nes y ffwl stop ola. Mae ei bresenoldeb yn dystiolaeth o'r modd y mae'r crefyddau eraill yn parchu'r un newydd. 'Sdim dewis, rîli. Dyma grefydd yr unfed ganrif ar hugain, un sy'n mynd ar ras, fel tân gwyllt. Cymysgedd o elfennau – hanner gwirioneddau a damcaniaethau. Sy'n siwtio'r oes.

Mae 'na stafelloedd eraill di-ri ar fwrdd y llong hefyd a gallwch grwydro'r rhain yn hamddenol wrth ladd amser ac aros i'w gweld. Mae Cyn-archesgob sydd newydd droi at Marinara yn bresenoldeb cyson yn Ystafell y Beiblau, a bydd yno'n cynnig sgwrs am ferthyron tra bod y llong yn stryglo i fynd drwy Gamlas Panama.

I'r rheini sy'n teithio gyda'r trysorau ar y llong, dyw'r stormydd a'r problemau o dro i dro – fel yr oedi ym Mhanama – ddim yn effeithio arnynt o gwbl. Dim ond poeni am y Fenyw-Sy'n-Cysgu maen nhw, a'i bod Hi'n saff ar ei thaith i bob porthladd yn y byd sy'n ddigon mawr i'w derbyn. Cofiwch, mae sawl porthladd wedi'i addasu'n arbennig i'r perwyl hwn. Does neb isie colli mas. Galveston. Cadiz. Sydney.

Ar ei phererindod mae Hi'n denu addolwyr newydd wrth y fil. O Valparaiso i Veracruz, o Gdansk i Gaerdydd, Trieste i Tunis, o Okinawa i Vladivostok, o Marseilles rownd yr Horn i Cape Town ac ymlaen i Melbourne, Minsk a Tomsk. I bob cyfeiriad, ar bob cyfandir. Ac un ymweliad arbennig iawn â rhywle lle does 'na fawr neb yn byw, sef Ynys y Pasg, gan fod y pennau cerfluniedig wedi bod yn gymaint o ddirgelwch dros y canrifoedd a'u hystyr bellach yn glir. Mae e wedi'i sgrifennu yn Llyfr Ffydd y Marinara. Esboniad ar ôl yr holl ganrifoedd. Edrych amdani Hi yr oedden nhw, syllu'n dawel tua'r gorwel yn ei disgwyl, yn addfwyn ac yn ffyddlon ac yn hir.

Mae rhai o'r bobl ddaeth oddi ar fwrdd y *Marina's Star* mewn fflotila o gychod bach yn taeru iddyn nhw weld y pennau trymion yn gwenu . . .

Fel y mae pobl yn taeru amdani Hi, y fenyw mae pobl yn ei gweld o'r diwedd ar ôl cerdded yn hir o gwmpas y llong, boed hynny yn yr harbwr neu ar y môr mawr – yr holl ryfeddodau yma ar y llong, ac eto mae 'na rywbeth amdani Hi sy'n dwyn yr ana'l o'r sgyfaint, sy'n dodi'ch gwynt yn eich dwrn.

Marina! Marina! Marina! Marina!

Yn ei gaeafgwsg, yn ei thir neb.

Ta beth yw'r rheswm, mae ei gweld hi fel eich gweld eich hunan yn fabi bach – cyn eich bod yn dod i ddeall y byd a'i beryglon, y temtasiynau a'r tensiynau. Mae hi yr un fath â chi ond heb yr ofn. Mae hi fel y dymunech i'ch bywyd chi fod. Flavia. Marina. Y Fenyw-Sy'n-Cysgu. Y dduwies. Y Hi. Y Ddiniwed Un. Yn ei chwch o fewn cwch, fel un o'r doliau 'na o Rwsia sydd fel pos, ond sy'n berffaith ar gyfer drysu plant bach. Marina!

O gwmpas y byd deirgwaith. Ond nid i Buenos Aires. Oedd yn rhyfedd, o ystyried. Er bod ei gŵr eisioes yn ei fedd. Horacio, na fyddai byth yn gwybod ei fod yn briod â duwies. Er ei fod yn caru ei wraig fel un. Horacio: ei ddarnau meddal yn pydru yn ei fedd hanner gwag, sy'n llenwi lan fel sŵp.

Ac ymlaen â hi. O borthladd i borthladd. O growd enfawr i growd enfawr, yn gwneud dim byd mwy na gorwedd yno. Ymlaen ac ymlaen.

Enw. *Ka. Ba.* Calon. Cysgod.

Cân Caerdydd . . .

Beth yw lleisiau'r ddinas fach? Caerdydd. The Castle of
Day. Heb os, lleisiau gwerthwyr yr *Echo* sy'n sefyll wrth
eu stondinau ar y stryd, ar Stryd y Frenhines, gyferbyn
â'r castell, boed fwrw haul neu chwythu gwynt, ac sy'n
bloeddio geiriau annealladwy i berswadio pobl i brynu'r
papur. Iwecor! Wiarco! Gremitod! A beth arall glywch
chi? Y cyrn niwl yn rhybuddio llongau i gadw draw o
Bwynt Larnog ac ynysoedd Ronech ac Echni yn y Sianel?
Draw yn y pellter, ar ddiwrnodau clir mi allwch chi weld
Pwynt Tywod yng Ngwlad yr Haf ac Exmoor yn codi'n
gefnen frown, redynog. Yn Larnog, gyda llaw, y
darlledodd Gugliemo Marconi am y tro cynta – y neges
radio gynta un, sef 'Ydych chi'n barod?'

Yn barod. Dyma synau'r ddinas. Rhuo'r dorf yn y
stadiwm pêl-droed – Watson i Zaphora i MacLean yn
dwt iawn, yna mae'r chwaraewr o Gabon yn ergydio a'r
bêl yn mynd yn syth heibio dwylo gôl-geidwad Chelsea.
G-ô-ô-ô-ô-ô-ô-ô-ô-ô-l!!! Lleisiau cyflwynwyr yn siarad
Wrdw, Somali, Eidaleg a llu o ieithoedd eraill ar
orsafoedd radio'r ddinas. Y rhaglenni Cymraeg sydd
fwya poblogaidd bellach. Diolch, Marconi, am wyrth dy
dechnoleg neu fyddai'r sioeau 'ma ddim yn bosib –
cynghanedd a cherddi a chynulleidfa i wrando yn yr oes

ddigidol sydd ohoni. Anacroniaeth ddifyr, a dweud y lleia. Peidiwch ag ordro arch i'r iaith cweit iet, pal! Ddim tra erys y Gymraeg rywle ar y deial rhwng Kiss FM a Six Extra, rhwng y *Top Forty Hits* a'r *Drive Time Posse*. Mae'r iaith yn nodwedd sy'n perthyn i'r ddinas hon. Rhywbeth i gyd-fynd â'i phlwyfoldeb.

Sŵn rhywun yn chwydu colon drwy gorn gwddw ar Heol y Santes Fair ar ôl un thri-ffor-tŵ-dîl yn ormod. Un noson roedden nhw'n promoto lager cryf a Sambucca dwbl am wan-pownd-ffiffti. Wan pownd ffifti! Mae hynny'n rhatach na pheint o chwerw yn un o dafarnau Brains y ddinas, y cwrw ag arogl hen gi wedi dod miwn o'r glaw.

Mae 'na ambell raeadr sy'n rhyfeddod yn y wlad 'ma – fel Llanrhaeadr-ym-Mochnant – ond 'sdim byd i'w gymharu â'r rhaeadr o sic amryliw sy'n arllwys o bennau pobl ar ôl cymysgu alcohol a *death kebab*s yn Stryd Caroline. Heb anghofio'r *chicken-curry-off-the-bone-with-chips*, sef ffowlyn heb-weld-golau-dydd a saws sy'n ogleuo o ddim byd o gwbl. Eitha tric mewn cyrri. Mae'r bariau cadwyn megis Embrace a Cockatoo yn debyg i labordai, lle maen nhw'n gweld faint yn union o fŵs rhad sydd ei angen i wrthweithio pwerau ymsymud rhywun, nes bod y truan yn methu dodi'r naill droed o flaen y llall, oherwydd nad yw e'n gallu cofio'n union ble mae ei draed.

Bacardi Breezer, Goldschlager, Moscow Mule, Slow Comfortable Screw a'r mwya poblogaidd, fodca a Red Bull – un rhan i'ch bwrw chi mas, y llall i'ch cadw ar ddi-hun. 'Sdim rhyfedd bod y meddwon fel moch gini mewn labordai, fel tase rhywun yn ceisio gweld yn union sut mae'r corff dynol yn medru ymdopi â llond casgen o lager. Yn Walkabout a Revolution mae'r pŵr dabs wedi drysu'n lân, yn bihafio fel tase rhywun wedi cynnal lobotomi arnyn nhw rywbryd rhwng drinc wyth a drinc naw. Ar y llawr dawnsio mae eu breichiau nhw'n chwifio fel melinau gwynt wrth i'w coesau droi'n jeli. Secsi.

Os byddwch chi'n cerdded – mewn llinell syth, wrth gwrs – ar hyd y strydoedd, edrychwch lan ac mi welwch chi symbolau o hanes y lle. Uwchben o leia dair eglwys mae 'na geiliogod aur ac arian yn clochdar yn fud am eu cysylltiad â Sant Pedr. Mae 'na sawl croes, wrth gwrs, ac yna fel pla'r oes fodern mae 'na ddysglau lloeren ar gyfer y cyfrifiaduron symudol mae pob un wedi dechrau eu cario rownd eu gyddfau.

A gwrandewch, yn enwedig yn y gwanwyn a'r haf, ar sŵn hanfodol Caerdydd – cri'r wylan gefnddu leiaf, sy'n nythu ar bob to gwastad yn y ddinas. Roedd gan un tafarnwr ar Heol Clive dri deg o gywion ar ei fflat rŵff. Os oedd yr hen adarwr 'na, Dafydd ap Gwilym, yn meddwl bod yr wylan yn debyg i leian deg, maen nhw fel byddin Lord-of-the-Rings-aidd o leianod yn y ddinas hon, a hiraeth am benwaig a'r cefnfor mawr agored i'w glywed yn eu mewian parhaus.

A chyn mynd gam ymhellach, efallai fod angen dweud taw dyma ble mae'r Diafol yn byw, dros dro, gan aros am ymweliad y Fenyw-Sy'n-Cysgu. Mae'n gweithio yma, yn gwerthu fflatiau newydd, drudfawr – sy'n cadw ei draed ar y ddaear a'i gadw mewn cysylltiad â phobl drachwantus yr un pryd.

Syniad y Diafol yw hyn: erbyn i'r Fenyw gyrraedd Cymru fe fydd hi'n agos at ddiwedd ei thaith. Mae'r Diafol yn gwybod bod pobl yn cario peth o'i phŵer i ffwrdd 'da nhw ar ôl ei gweld. Yma, felly, mi fydd ei phwerau'n wan. Dyna pryd i'w herwgipio.

Mae Satan yn berchen ar un o'r fflatiau newydd lawr ar Hypervalue Esplanade, ond prin y bydd e'n treulio noson yno gan ei fod yn rêl hen gwrci, yn crwydro hwnt ac yma drwy'r nos. Roedd e ar hyd y lle y noson y lladdwyd Lynette White, er enghraifft. Y drwg yn lledaenu.

*

Dinas heb ei cherddoriaeth ei hun yw hon. Sy'n od, o ystyried. Od o ystyried bod 'na dri chan mil o bobl yma ond dim sîn fel sydd ym Manceinion yn troi o gwmpas clwb yr Hacienda ac a roddodd Happy Mondays i'r byd a – rhag ofn fod 'na ormod o hapusrwydd – Joy Division hefyd. R.I.P. Ian Curtis. Lerpwl gyda'r Ffàb Ffôr. Steel Pulse ac UB 40 yn rhoi *reggae* i Birmingham. Portishead a Tricky ym Mryste. Chi'n gweld beth sydd ar goll yn y brifddinas, felly?

Oedd, mi roedd 'na gyfnod pan oedd tafarndai hiwj fel y Big Windsor yn llawn R & B lleol, ond yr hyn oedd yn lleol am y miwsig oedd y ffaith fod y drymiwr yn medru cario'i git o'r tŷ i'r gìg a phob aelod o'r band yn byw o fewn tafliad carreg. Ond 'sdim sîn go iawn wedi bod. Mae'r bandiau sydd wedi gwneud yn dda yn dod o Fethesda neu rywle.

Mae'r ddinas yma'n siarad â phawb drwy'r amser, yn gwerthu cyngherddau, nwyddau, dyheadau, cyfleoedd, delweddau – hysbysebion mewn neon, ar bosteri, ar docynnau bws. Ond os y'ch chi'n chwilio am hysbyseb ar gyfer y bwyd lleia iachus yng Ngorllewin Ewrop, does dim dewis ond myned lawr Stryd Caroline.

Stryd Caroline. Sut ar y ddaear mae esbonio rôl y stryd yma yn *psyche* cymunedol y brifddinas? Mae'r bwyd mor seimllyd, fe allwch chi gael harten jyst yn darllen y fwydlen. A beth yn union sydd mewn Clarks Pie? Oes unrhyw un yn gwybod? Beth sy'n cuddio dan y pestri?

Un prynhawn roedd Tom Drinkall – sy'n gweithio i Adran Safonau Masnach y ddinas – yn digwydd cerdded lawr stryd Caroline ar ei ffordd i drafod cwyn am gamera digidol yr oedd cwsmer wedi'i brynu yn J & A Lenses, pan welodd e rywbeth yn symud yn ffenest siop tsips enwog Tony's. Fe sylweddolodd ei fod yn edrych ar lygoden fawr, llygoden Ffrengig, yn cnoi'n hamddenol ar sosej-in-batyr a bod y mamal yma wedi pesgi'n braf yn barod, achos roedd ei fola wedi chwyddo'n bêl. Yn ara iawn – fel Syr David Attenborough yn cripio lan ar gorila yng ngwyrddni Rwanda neu Iwganda – estynnodd Tom am y camera a'i dynnu o'r bocs ac yn ara bach, heb yr un symudiad cyflym, fe dynnodd lun o'r cnofil wrth ei ginio. Caws!

Dyma stryd sydd wedi gweld tipyn o gyffro dros y blynyddoedd. Roedd yma sawl clinig yfed hwyr lle gallech chi gael stêc cig ceffyl i fynd 'da'r Bulls Blood, gwin o Eger yn Hwngari sy'n atgoffa rhywun o reslwyr enwog fel Jackie Pallo a Daddy Haystacks. Pam? Achos y gall y stwff eich llorio chi'n syth.

Roedd yma glwb enwog o'r enw Bloomers ar un adeg ond mi wnaeth rhywun ymosod ar y lle gyda bom petrol a llosgi'r lle i'r llawr. Yn yr *Echo* y diwrnod ar ôl y tân roedd y cartwnydd Gren wedi creu un o'i oreuon. Delwedd o Stryd Caroline gydag ogof ddu lle bu Bloomers gynt, a dau ddyn yn hedfan drwy'r awyr uwchben cwmwl tebyg i'r un chi'n ei weld ar ôl ffrwydrad atomig. Meddai'r capsiwn: 'Nawr, dyna beth yw cyrri a hanner.'

*

Yn y bae, yn adeilad ysblennydd Richard Rogers sy'n gartre i'r Cynulliad, maen nhw'n pleidleisio ynglŷn â derbyn crefydd Marina fel crefydd swyddogol y wlad a'r wladwriaeth Gymreig.

Mae'r Llywydd yn codi ar ei draed ymysg yr holl halibalŵ ac yn erfyn am dawelwch. Yna, mae'n caniatáu i bob aelod ddweud ei ddweud, fesul un, ac yn wahanol i'w trafodaethau am iechyd neu addysg – sy'n cael dwy awr yn unig – mae'r sesiwn yma'n para drwy'r dydd. Mae safbwyntiau cryfion yn cynrychioli crefyddau fel Cristnogaeth ac Islam, dadleuon o'r galon gan Sîc a Hindŵ, efengylwyr, a llu o grefyddau bach.

Ond mae dadleuon y Marinas, fel y'u gelwir, yn atgoffa pawb fod 'na filiwn o bobl yng Nghymru sy'n arddel y ffydd bellach, ac nid rhyw Joni-cym-letli fel seientoleg yw'r Marinara chwaith. Mae Marinara'n swnio fel *pizza* i sawl clust yn y siambr ond maen nhw'n gwrando'n amyneddgar ar y dystiolaeth taw hon oedd crefydd pobl yr ogofeydd, fel Paviland a Chwrt Newydd. Nid am y tro cynta mae rhywun yn cymharu dyfodiad Y Gwir y tro hwn â'r Diwygiad, gan esbonio sut y symudodd Cristnogaeth drwy ddyffryn a thros fynydd fel tân gwyllt y tro hwnnw, ac er bod y capeli wedi mynd bellach, na wnaeth e ddim drwg. Yn wir, yn foesol, tybed na wnaeth e dipyn o les i gadw at y safonau beiblaidd?

Bellach, fodd bynnag, mae 'na wirionedd arall (rhwng cloriau 'The Book of Marine Faith', sy'n cael ei argraffu wrth y filiwn gan gyhoeddwyr 'People Magazine' dan drwydded i'r Sanhedrin yn Las Vegas). Y Sanhedrin sy'n gwarchod Llyfr y Ffydd. Mae cyfreithwyr y Cynulliad yn cadw nodiadau manwl iawn o bopeth sy'n cael ei ddweud yn y drafodaeth, oherwydd mae'n bosib taw hwn fydd sail y ddeddfwriaeth newydd gynta dan y drefn a'r pwerau newydd Tro ar fyd? Allwch chi 'weud hynny 'to. Y dorf, y cyhoedd yn ffindo ffordd o fynegi'u hunain, efallai.

Nid yw'r fersiwn o Lyfr y Ffydd a ddefnyddir gan y ffyddloniaid wrth addoli yn agos at unrhyw beth gwir. Mae'n dweud mwy am obeithion, amheuon a gofynion y credinwyr nag y mae'n ei ddweud amdani hi. Ymddiheuriadau. Y Hi. Ewch at ddechrau'r Addol-lyfr Mawr ei hun a throwch at dudalen gynta Llyfr yr Esboniad.

– Yn y dechreuad yr oedd Hi gyda ni, o'r eiliad gyntaf pan ddechreuodd Cloc Mawr Amser, ac fe fydd Hi yn ein plith hyd at y funud ola, pan ddaw pethau i ben nid gyda thân a tharan ond gyda Dwst Llwyd y Diweddglo yn setlo ar ein toeau ac ar ein cartrefi oll ac yn parhau i setlo, a'r llwch ym mhobman ac yn dew fel niwl. Daw dydd pan na fydd un anadl posib ar ôl. Ond wedi i ni fynd i ebargofiant, pan na fydd unrhyw un ar ôl i gofio ein bod ni wedi bod, dim gair o'n cred, dim tystiolaeth o'n cariad, a phob enw dynol yn angof bellach, erys Marina, a fu yma cyn hyn ac a fydd yma ar ein hôl. Pan fydd ein hantur ni ar ben, megis dechrau ymbaratoi y bydd hi. Am y nesa, am yr un well.

'Ond, er gwybod hynny, bydd ein ffydd nawr yn ddigon, oherwydd ei bod Hi yn ddigon, fel golau anhygoel gwawr y bore a gwên plentyn sy'n fôr o obaith, gan wybod taw ni yw ein dymuniad, hebddi Hi ni fyddai'r un ohonom wedi dod i dresmasu yn y byd hwn. Y ni yw ei hesboniad Hi iddi Hi ei hun o'r hyn yw ei phwrpas. Yn fugail ac yn fam, yn angor ac yn athro, gan wybod na ddaw dim byd da o hyn yn y pen draw. Dyna yw ei byrdwn. Dyna pam ry'n ni'n ofni'r nos.

'O'r deheubarth i'r gogleddle, o'r dwyreinfan i'r gorllewin-draw, fe fydd Hi'n gwarchod ac iacháu. Ac yn byw yn ein calonnau ni, er nad ydym yn gwbl deilwng. Ie, yn byw yn ein calonnau, fel cannwyll fechan sy'n goleuo'n ddewr . . .'

Mae'r weddi, fel pob ymbiliad taer, yn mynd ymlaen ac ymlaen, gyda stac o salmau a llefydd o fewn pob salm i gydganu mawl. Mi fydd hyd yn oed y plant bach sy'n dod mewn i'w haddoldai yn gorfod dysgu'r cwbl, sy'n hirach nag unrhyw gatecism, ac os byddan nhw'n anghofio sut i orffen cymal, neu'n dweud 'gogleddfan' yn lle 'gogleddle', bydd yn rhaid iddyn nhw ddechrau o'r dechrau eto. Achos mae pawb yn gwybod taw dyna'r ffordd i serio'r geiriau sanctaidd ar lithfaen y cof.

Sgrifennwyd y Book of Marine Faith gwreiddiol mewn wyth niwrnod yng Nghynhadledd y Gair yn yr Holiday Inn yn Albuquerque, Mecsico Newydd, gan un enillydd Gwobr Nobel; dau fardd; un cyn-offeiriad Catholig gafodd ei erlid am newid ei ffydd i'r mwngrel o grefydd newydd; tri physgotwr du eu crwyn o Senegal a adawodd eu teuluoedd a'u cabanau ar y traeth i ddilyn ffordd yr ysbryd; ynghyd â pheilot o awyrlu America oedd yn chwilio am ffordd o ddelio 'da'r pethau erchyll yr oedd e a deunaw llwyth o fomiau ffosfforws wedi'u gwneud i bentrefwyr Ynys Okinawa erstalwm yn ystod yr Ail Ryfel Byd. Roedd y peilot wedi darllen yng ngylchgrawn *TIME* am y fenyw ryfedd oedd y tu hwnt i wyddoniaeth ac fe werthodd ei dŷ a'i holl eiddo o fewn diwrnod er mwyn myned ymaith i fod yn was iddi. Yn eistedd nesa ato yn y neuadd gynhadledda, roedd yr olaf ohonynt – gwraig tŷ o Rapid Falls, Michigan, ag ewinedd sgarlad ffals a ffydd o ryw fath yn ei chalon. Daethant yma heb ddeall pam yn union, dim ond dilyn rhyw reddf. Dilyn golau'r gannwyll fach.

Roedd eu ffordd o gyrraedd y geiriau sanctaidd yn od o fodern.

Safodd pob un o'r rhain yn ei dro gerbron meicroffon Sennheiser 300 C, y gorau yn y byd ar y pryd, er mwyn recordio'u cyfraniadau wrth iddynt gynnig eu tystiolaeth o waelod calon. Buont yn tystiolaethu mewn sawl iaith, o Eidaleg i Wolof, gyda rhai'n siarad yn blaen ac yn glir, ambell un yn llafarganu, un arall bron â llewygu wrth i Ysbryd y Foment ddawnsio y tu fewn iddi. Ac yna, ar ôl i bawb ddod ymlaen, mi aeth un o raddedigion mwya disglair y Massachusetts Institute of Technology ati i brosesu'r geiriau, gan drosi o bob iaith i Saesneg Safonol, a Sbaeneg a Mandarin (doedd brwydr fawr yr ieithoedd ddim wedi'i hennill bryd hynny). Ar ôl iddo gywasgu a chwilio am bethau oedd yn gyffredin iddynt, chwyddo'r adleisiau a thanlinellu pethau oedd yn cael eu hailadrodd, mi gymerodd e enghreifftiau o weddïau o brif grefyddau eraill y byd a'u defnyddio fel ffrâm ar gyfer y llyfr newydd. Dwy awr yn unig gymerodd hyn – gan mor bwerus oedd y genhedlaeth newydd o brosesyddion. Wedyn, camodd un o sêr disgleiria Hollywood ar lwyfan bach yn yr Holiday Inn a darllen y gwaith yn ei gyfanrwydd am y tro cynta. Clywai pawb yn y stafell ei llais hi neu ef ei hun. Clywent lais y dduwies hefyd.

'Yn y dechreuad yr oedd Hi gyda ni . . .' a phawb ar Lawr 21 yr Holiday Inn y diwrnod hwnnw yn wylo 'da hapusrwydd wrth sylweddoli eu bod i gyd yn rhannu'r un peth: ffydd ddyfnach na chalon mynydd, gobaith a fyddai'n ddigon i waredu'r byd o ryfel, ac yn gorlifo 'da chariad ati Hi, yr un a ddaeth yn ei chwch bach i ddangos y ffordd.

Ac erbyn i'r actor – hen ddyn gwalltwyn â dannedd gwerth hanner miliwn – sefyll yno yn ei *tuxedo* a gorffen y darlleniad, roedd cyfrifadur Joe Mecks o MIT wedi llwyddo i greu rhywbeth oedd yn swnio fel y math o eiriau sanctaidd sydd wedi'u naddu ar ddarnau o farmor a'u cario ar gefnau'r ffyddloniaid oddi ar lethrau serth

138

Mynydd Taberneus neu Golguchel neu uchelfannau Copa Paradwys. Roedd Joe wedi cyfuno hanfodion y Beibl, y Q'uran, llyfr Tibetaidd y Meirw, pob efengyl a syniad crefyddol.

Mae Joe a'i laptop wedi prosesu a chynhyrchu geiriau y gallai mynach mewn abid a oedd yn fyw 'da chwain fod wedi'u copïo mewn cell ddiaddurn, neu ogof ddiarffordd, gan weithio mor hir ar y llythrennau baróc a'r cyrliciws godidog nes anghofio am dreigl amser. Mae bron fel petai Joe wedi creu'r mynach ei hun: dyn sydd mor sanctaidd a gweithgar fel ei fod yn anghofio bwyta am wythnosau cyfan ac yn codi oddi wrth ei ddesg un prynhawn gan sylweddoli ei fod yn wargrwm oherwydd ei waith ac yn hanner dall ar ôl gweithio yng ngolau'r canhwyllau roedd e'n eu gwneud ei hunan â wic a braster mochyn.

Yn Albuquerque, ar y cyfrifiadur, crewyd y geiriau hynny a fyddai'n gweddu i sgiliau digamsyniol y mynach, ac i'w fyd o greaduriaid rhyfedd sy'n llechwra yng nghorneli memrwn y llawysgrif, lle byddai'r slogan 'Here Be Monsters' ar hen fapiau'r byd. Môr-forwyn a chanddi wallt o wymon melyn a chynffon hir fel mamba du, neu neidr arall debyg. Crwban arian â choesau pwt ac ewinedd hir oedd yn peri iddo edrych fel giamstar ar gloddio ac eryr wen yn hedfan ar adenydd sidan. Ie, yr holl anifeiliaid rhyfedd, arswydus a phrydferth. Y menajeri 'ma. Lle da i Marina fod.

Ond balôni llwyr yw'r fersiwn hwn.

Ma 'na fersiwn arall, un newyddiadurol, cyfryngol, aml-gyfryngol, rhyngrwydol, rhyngweithiol sy'n trafod genedigaeth a bywyd cynnar Flavia, ac sy'n apelio at gymunedau Facebook, Xbox, y rhai sy'n byw trwy Second Life a'r rheini sy'n adeiladu Sim City. Dyma fersiwn sy'n gyflym fel Grand Theft Auto ac sy'n apelio at ddarllenwyr papurau ar-lein a gwe-gamerâu a'r bali ddigidol lot.

A rhaid i chi sylweddoli nad yw mwyafrif y newyddiadurwyr sydd wedi sgrifennu amdani erioed wedi'i gweld hi yn y cnawd, os taw dyna beth chi'n galw'r ecsodermis toes *pizza* sy'n gorchuddio'i hesgyrn. Bellach, dyw newyddiadurwyr ddim yn gadael eu desgiau. I sgrifennu'r erthyglau diweddara am y Fenyw-Sy'n-Cysgu does ond angen munudau llafurus o waith yn Gŵglo'i henw hi. Prin yw'r dyddiadau pendant: ganwyd hi yng Nghalcutta (cyn y newid enw), Halifax, Nova Scotia, Cartagena a hynny yn 1928, 1914, 1925 . . . Mor solid â Wicipedia, sydd mor ddibynadwy â chodi castell Biwmares ar draeth Pen-bre. Ac eto, dyma'r newydd-iaduriaeth newydd, benigamp. Gwybod ble i chwilio am yr wybodaeth ac yna ei hawlio'n ddi-dâl a heb fwy o foesau na giard yn Buchenwald.

Y stori fawr o hyd yw'r un gan lygad-dystion Greenpeace, sy'n sôn am Lefiathan yn codi o waelod y môr i achub Marina rhag cael ei dinistrio gan long hela morfilod o Siapan – achos a arweiniodd ynddo'i hunan at foratoriwm ar hela gan y wlad honno. Fe gafodd y cyfan ei gofnodi yn y B.O.M.F., sy'n gwerthu mwy o gopïau na'r Beibl.

Yng Nghymru mae pob capel gwag wedi'i droi at ddibenion y cwlt ac yng Nghaerdydd mae hyd yn oed un o glybiau bingo'r ddinas wedi troi at Marinara – ac nid clwb gwag mohono chwaith. Roedd aelodaeth y Gala Bingo Emporium yn fwy na thre Pontypridd ac roedd y perchnogion, Easy Dime Leisure, wedi gweld ffordd o wneud arian drwy gyfuno'r ddau beth. Byddai pobl yn cael cwrdd gweddi am naw ac yna, llygaid lawr ar gyfer y gêm gynta am hanner awr wedi deg. Gydag egwyl yn y canol, pan fyddai miwsig crefyddol – o Palestrina i John Tavener – yn arllwys o'r system sain er mwyn cadw awyrgylch defodol y c'farfod gweddi yn fyw yn y cof. Roedd yr arbrawf yn hynod lwyddiannus ac roedd 'na fwriad i wneud yr un peth ym mhob clwb Gala yn y wlad.

Ond mae 'na broblemau enfawr yn deillio o dwf y cwlt.

Does dim gwymon ar y creigiau, na chregyn môr ar unrhyw draeth oherwydd bod y rhai-sy'n-credu wedi bod yn addurno'u haddol-lefydd gyda llenni o wymon sych a chregyn o bob math. Gweddnewidiwyd sawl capel – yn Gerazim, Treboeth, rhoddwyd bad achub rwber yn y sedd fawr. Mae'r 'gweinidog' yn edrych fel petai e'n derbyn nawdd gan Avon Inflatables, gan mor amlwg yw'r geiriau du a melyn ymhlith yr holl wyrddni.

Pan olchwyd miloedd – miliynau – o slefrod môr i'r lan o gwmpas Llŷn ac Eifionydd, dechreuodd y credinwyr ddefnyddio'r gair 'manna' a dilyn y gyffelybiaeth honno drwy eu bwyta nhw. Brathwyd gwefusau rhai mor wael nes gorfod derbyn triniaeth yn ysbyty St Lawrence, Cas-gwent, lle maen nhw'n arbenigo ar drin pobl 'di llosgi. Ond aeth eraill o'r Marinaras ati i gasglu'r slefrod (*aurelia aurita*, i ni gael bod y hollol glir ynglŷn â'r rhywogaeth, rhag ofn i chi ddod ar draws un wrth grwydro'r glannau) mewn bwcedi, mewn whilberod, fesul llond sach, neu mewn bagiau glas IKEA, yna eu coginio'n gawl addolgar, gan mai'r dduwies, yn amlwg, oedd wedi'u hudo i'r lan, fel pibydd Hamelin a'i lygod mawr.

Ac fe gafwyd trais hefyd, wrth i'r crefyddwyr newydd ymladd yn erbyn y Cristnogion, Sîciaid, Mwslimiaid, yr Hindŵs a'r Mormoniaid. Er, mae'n wir dweud hefyd y bu i nifer o'r crefyddau eraill newid i gynnwys elfennau o'r grefydd newydd. Neu efallai mai'r grefydd newydd oedd wedi amsugno elfennau o'r hen rai. Ta p'un, roedd yn debyg iawn i *voodoo*, neu *vodun*, yn cario hen gredoau llwyth yr Yoruba ymhlith y caethweision o Affrica i'w cartrefi newydd ar draws y dŵr. Ac roedd un o straeon y Marinaras yn debyg iawn i hanes Olorun, y prif dduw – efe sydd anghysbell a thu hwnt i amgyffred – a ofynnodd i dduw llai, Obatala, i greu'r ddaear a phob peth byw. Creu jagiwar, llewpard ac afon, ffurfio De America a Gogledd America, Lefiathan a morgath. Yn union fel y gwnaeth Marina: ei dwylo, fel crochenydd, yn rhoi siâp i dirlun a'i hana'l yn cynhyrfu dyfroedd culfor.

Fel y pregethai Gerry Dammers – dyn gwerthu carpedi oedd wedi gweld y cwch papur a sylweddoli bod rhaid troi ei gefn ar yr erwau o Wiltons ac Axminsters a rhoi ei hun yn gyfan gwbl iddi hi: 'Y môr mawr oedd y pair lle cafodd pob peth ei greu a'i gymysgu gan Marina, y Fam Hollalluog, hyhi a wnaeth i'r cimychiaid ymgripio a physgod y môr i heidio yn un haid, y morloi i udo a'r cranc i dyfu ei grafanc. Yn y dechreuad oer, cyn cynnau llusern yr haul, roedd holl anifeiliaid y môr yn medru cyd-fyw, â'r siarcod yn bwyta plancton, y morfilod yn byw ar halen, a'r pysgod bach yn rhy hapus i fwyta o gwbl, gan ddawnsio'n fflachiau bach tywyll o liw. Ond roedd yna chwaer dduwies – Tonna – a hi oedd i fod i gario mlaen â'r gwaith o greu. Hi roddodd ddannedd i'r siarcod, a hi newidiodd y drefn. Oherwydd hynny fe daflodd y Fam Hollalluog hi allan o'r dŵr a gwneud iddi fyw ar lecyn o dir – dim mwy na hances boced o ynys – ac yno, wnaeth Tonna ddim byd arall ond stiwio yn ei thymer a chreu melltithion di-ri, ac er gwaetha'i hesgymundeb fe weithiodd rhai o'r melltithion hynny. Dyna sut gwnaeth y pysgod bach cytûn droi'n ganibaliaid, cyn rhannu'n ddwyfil haid ar wahân. Tonna oedd y düwch yn ein byd. Mae ganddi lysgenhadaeth yng nghalon pob un ohonom. Rhaid i ninnau ddewis. Sarff fôr ynteu sliwen? Gwylan reibus ynteu aderyn pâl? Pa rinweddau sy'n ein denu ni? Y diniwed ynteu'r dinistriwr?

Wrth iddo siarad byddai'r gynulleidfa'n dechrau udo, fel eirth y Gogledd yn gweld yr iâ yn chwalu dan eu traed.

– Marina, bydd gyda ni. Bydd holldrugarog. Marina. Marina. Marina!

Byddai'r drymwyr yn dechrau curo yng nghefn yr addoldy a thâp o sŵn y môr yn chwarae a delwedd o Marina yn codi o'u blaenau ar ffurf hologram ac yna'r gweinidog yn lansio model bach o'r cwch i gryman o fowlen geramig.

Eto yma, yng Nghaerdydd, mae 'na le i'r crefyddau eraill. Clywir cân egsotig a dwys y lle yng nghri'r *muezzin* yn galw'r ffyddlon i weddïo yn y mosg yn Grangetown a Glanyrafon a Thremorfa, a'u lleisiau'n cario dros Tyndall Street a draw tuag at Adamsdown a Sblot. Ac yn enwau'r strydoedd o dai teras bychain mae 'na fydysawd cyfan, hanes diwydiant trwm a gemwaith a dirgelwch.

Enwau disglair Sun a Star Street, a hyd yn oed Eclipse, Planet, Comet, Constellation. Yna cloddio enwau: Gold Street yn arwain at Silver Street sy'n cysylltu â Copper Street ac yna'r strydoedd trymion – Lead a Zinc. Llond sach o emau hefyd wrth i chi ymlwybro i lawr strydoedd Sapphire, Emerald, Ruby, Topaz, Diamond a Pearl. A'r dirgelwch? Wel, enwau'r strydoedd eraill ar y map yma o'r ddinas – ai ffrindiau'r person fu'n enwi'r lleill oedd Arthur, Blanche a Bradley, Theodora, Harold, Bertram, Cecil, Helen a Nora? Neu blant iddo ef neu hi?

Hen enwau ydyn nhw, wrth gwrs, a ninnau'n bedyddio ein plant gan ddefnyddio enwau sêr ffilm ac actorion sâl. Neu enwau gwaeth. Teimlwch yn flin dros y crwtyn sy'n fab i Mr a Mrs Pipe o Drelái, achos ei enw fe yw Duane. A'r ferch yn un o'r ysgolion Cymraeg newydd â'i rhieni wedi dotio ar enw oherwydd ei fod yn swnio mor bert: felly cafodd Bara Gwenith ei bedyddio. Apocryffaidd – fel y crwt 'na, Allanfa Dân, yn rhyw ysgol draw sha Casnewydd. Falle. Ond mae 'na frawd a chwaer sy'n byw yn Constellation Street a'i henw hi yw Rose Leaf; ar ôl yr holl wawdio a ddaeth i'w rhan, mi benderfynodd ei rheini roi enw mwy sobor o lawer i'w mab newydd, ac wele ddewis Peter Thomas Leaf. Yn anffodus, wrth ddarllen y gofrestr bob bore byddai'r athro yn gweiddi mas 'Peter T. Leaf' a phawb yn chwerthin am ei ben. Druan ohono.

Mae 'na rai llwythau sy'n gwrthod defnyddio enwau o gwbl oherwydd y gred fod y person sy'n rhoi enw i rywun yn berchen ar y person 'na am byth. Pethau peryg yw enwau. Gofynnwch chi i unrhyw un o'r enw Adolf neu Jiwdas.

Mae bob yn ail gwpwl sy'n cerdded strydoedd Treganna yn siarad Pwyleg. Bob yn ail yrrwr tacsi nos yn dod o dras Somali. Litani egsotig o'ch cwmpas yn enwau'r têcawes a'r llefydd bwyta niferus – Mandarin Kitchen, Kerala Spring, Red Pagoda, Le Gallois, Bamboo Garden, Lotus House, Lee Hoo Fok a'r Happy Gathering. Fe ddywedodd y sgwennwr John Berger yn un o'i lyfrau doeth mai'r hyn oedd yn nodweddiadol am yr ugeinfed ganrif oedd fod pawb yn symud o'r pentrefi i'r dinasoedd, ond y byddai'r unfed ganrif ar hugain yn nodedig am fod pobl yn symud o un ddinas i ddinas arall – a boi, roedd e'n iawn. Mi wnaethon nhw heidio yma, y bobl ifanc o Benllyn a Gdansk, y ffoaduriaid o Benin a'r Balkans, y gwerthwyr a'r prynwyr, y crwydriaid a'r sgamwyr, y gobeithiol a'r cwbl anobeithiol; yma i chwilio am ffortiwn, am gorff cynnes, rhywun i fod yn ffyddlon iddo, rhywun i'w garu, rhywun i'w dwyllo.

Yn y ddinas hon hefyd, fel ym mhob dinas yn y byd, mae'n debyg, mae yna afonydd cudd – afon Elái'n llifo'n dawel o dan Grand Avenue ac afon goll Canna dan Bontcanna (lle mae'r Pontcanna Ponserati yn byw, chwedl y *Western Mail*). Dan y cyfoes mae 'na wastad hanes. Pob peth yn balimpsest. Pentyrru wna'r ddinas, codi un peth ar ben rhywbeth arall, a chodi'n uwch bob tro, gan estyn tua'r nen. Fel chwyn.

Mae'r ddinas yn mogu'r tir gan osod blanced o goncrit i orwedd dros fryn a dol. Lle tyfai coed, mae tarmac nawr. Eto, mae natur yn medru sleifio i fewn, fel llwynog sy'n chwilio yn y bins. Reit ynghanol y ddinas y mae un o'r rhyfeddodau mwya – pâr o adar, hebogiaid tramor, yn nythu ar ben gargoil yn uchel ar Neuadd y Ddinas, gan ddychryn yr adar yn y parc gerllaw a hollti'r nen wrth ddisgyn ar ysglyfaeth, yn galw 'ic-ic-ic-ic-ic' wrth hela a pharu a bwydo'r cywion maes o law. Maen nhw'n adar pert, er eu bod yn ffyrnig, ac yn bethau gwyllt sy'n dofi'r ddinas.

Petase'r hebog yn codi ar adenydd fel cryman, i farchogaeth y gwynt sy'n chwyrlïo dros y toeau, a throi ei lygaid craff tua'r gogledd, byddai'n gweld crwmpyn Mynydd Caerffili a ffawydd-goed y Wenallt a'r llinell o fryniau sy'n ymestyn draw i'r dwyrain, at Rudry a Chefnmabli. Tu hwnt i'r rheini, gwelai bentrefi ariannog, gwyngalchog, cyfrin-mewn-dyffrynoedd deiliog Gwent neu fryniau eraill yn rowlio'n deid o donnau tuag at Lantrisant ac yna ymlaen am Fargam. Oddi tano, wrth i'r gwynt newid cyfeiriad, byddai'n gweld y stadau tai enfawr tu draw i Laneirwg ac anferthedd afon Hafren a thyrau'r ddinas yn sglein o wydr yng ngolau llachar haul diwedd dydd.

Oddi yno hefyd, fe welai'r groesfan unig lle'r aeth dyn o'r enw Jimmie i wneud dêl fwya'i fywyd, un noson, yng nghysgod gwaith dur East Moors, rhwng y gwersyll sipiswn a'r iard drenau lle mae'r metel yn gadael ar ei daith. Mae Jimmie'n dad i ferch fach sy'n gallu canu. Er nad yw'n dad da, mae'n benderfynol o rhoi hwb ymlaen i'w Dusty Springfield fechan.

Roedd Jimmie wedi bod yn eu sinco nhw yn rhai o glinics yfed mwya gwyllt y Dociau, o'r Casablanca i'r Red Orchid a'r North Star, heb sôn am nifer helaeth o dafarnau mor ryff fel bod y celfi'n cael eu sgriwio'n sownd i'r llawr rhag ofn i rywun eu taflu drwy'r ffenestri. Roedd e wedi llyncu *boilermakers* yn y Glastonbury, lle roedd 'na gystadleuaeth taflu corrach, go iawn, wir yr. Bob nos Wener, a dweud y gwir. Roedd y dyn bach pedair troedfedd yn ddigon hapus i gael ei daflu o un pen o'r bar i'r llall os câi ei dalu fesul peint, er bod pawb yn tueddu i gynnig prynu hanner, gan feddwl taw dyna'r jôc orau fu erioed.

Aeth Jimmie ymlaen i'r Custom House, lle roedd menywod y nos yn edrych fel 'taen nhw'n barod ar gyfer pantomeim wedi'i lwyfannu mewn mynwent – eu croen yn wyngalch a'u bochau'n afalau o golur. Wedi hynny aeth i gael drincs bach tawel yn y Shooting Range. Yno roedd pawb yn chwil ond hapus, tafarn lle roedd amser ar stop, fel 'tai hi wastad yn *VE-day*. I orffen ei grwydr aeth i'r New Sea Lock, lle roedd yr hen forwyr go iawn yn ymgasglu – poerwyr tybaco; dynion croen lledr ddaeth o Ynysoedd y Cape Verde ar ôl blynyddoedd o hela morfilod; stocwyr glo o Yemen gâi eu cyflogi ar yr egwyddor os o'ech chi'n dod o rywle cyn boethed ag Aden, yna nad oedd stafell injan lawn mwg a gwres mor wahanol â hynny i fod yng ngwres yr Horn. Ac yno, yn y dafarn honno, dros ford lawn cardiau pocer a llygaid craff dan gapiau capteiniad, y dechreuodd sgwrs a fyddai'n newid ei fywyd. Yn ei arwain at groesffordd.

– Mi aeth Kenny yno, meddai hen ŵr o'r enw Trublood, oedd wedi cyrraedd o'r Caribî ar yr SS *Windrush*, a'i drync yn llawn cregyn môr i'w gwerthu ar y stryd.

– Ac mi gafodd ei freuddwyd ei gwireddu. Drwy siarad â'r dyn drwg.

– Pa freuddwyd? Ymhle? gofynnodd Jimmie, oedd yn ceisio dal i fyny gyda'r sgwrs.

– Ma' 'na le, meddai Trublood, gan sipian ei rŷm yn ddramatig a godro'r foment am densiwn. Ma' 'na le ble mae'n bosib cwrdd â'r dyn ei hun. Mi ofynnith e am yr hyn 'dych chi ddim i fod i'w roi, ac yna mi wnaiff e ei gyfnewid am rywbeth drudfawr yn ei le.

– Pwy sy'n cynnig? Beth mae e ei eisiau?

– Neb llai na'r dyn drwg ei hun. Beelzebwb. Lucifer. Y Satan Mawr. Ac mae e eisiau eich enaid.

Tywyllodd y cysgodion yng nghorneli'r stafell. Teimlodd Jimmie gwestiwn yn ffurfio ar ei wefusau, un na ddymunai ei lefaru. Yna . . .

– Ble mae'r lle yma?

A dyma Trublood yn rhwygo'r cefn oddi ar fat cwrw ac yn defnyddio pensil i greu map.

– Cer fan hyn. Pan mae'r lleuad yn llawn. A phan wyt ti'n barod gyda dy gwestiwn – y dymuniad mwya yr hoffet ti ei wireddu – cer yno a disgwyl amdano. Os wyt ti'n barod, efe a ddaw.

Roedd Jimmie'n credu efallai fod Trublood braidd yn orddramatig, ond roedd y ffordd yr oedd y morwyr o'i gwmpas yn nodio'u pennau yn awgrymu nad oedd 'na

148

fawr o'i le ar hyn, fod y peth yn gwbl normal rywsut. Cwrdd â'r diafol? Pob lleuad lawn.

*

Yn llys y crwner mae achos cynta'r wythnos wedi dechrau. Roedd y cwest yn cael ei gynnal er mwyn deall sut yn union yr oedd Marky Divotts, gŵr tri deg un mlwydd oed o Dremorfa, wedi marw. Yn sicr roedd e wedi cael sawl bwmp ar ei ben, yn ystod diwrnod y gallai rhywun addysgedig ei disgrifio fel *bacchanale*, ond nid Marky, achos doedd Marky ddim yn medru sillafu. Yr hyn yr oedd Marky yn medru ei wneud oedd yfed a bygwth, bygwth a checru, sgamo ac yfed. Sgamo oedd yn dod â'r arian i fewn – digon o arian i dalu am yr alcohol a rhent y tŷ ac am swyddfa/ystafell wely/stordy ar ffurf carafán enfawr i lawr wrth Rover Way. Un â thyllau yn y to fel bod yn rhaid trefnu i roi bwcedi ym mhobman pan fyddai'n bwrw glaw, a'i ffrindiau yn hoffi ei alw fe'n Drip.

Byddai Marky wrth ei fodd yn mwynhau diwrnodau gwyllt o addoli Bacchws, gan grwydro o gwmpas yr ychydig hen dafarnau oedd yn weddill yn y ddinas, fel y Vulcan a'r blawd llif ar y llawr a gwragedd yn cwrdd i yfed snêcbeits (seidr a lager yn gymysg, rhag ofn na fuoch chi erioed yn y Vulcan) 'rôl bod yn gweld eu gwŷr yn y carchar dros y ffordd. Drinc ar ôl clinc.

Dechreuodd diwrnod ola Marky ymhlith y byw yng nghwmni un o'r dynion enwoca yn y ddinas, sef capten llong – yn wir, yr unig gapten llong oedd yn dal i forio i borthladd Caerdydd, nawr bod y ddinas wedi sbaddu'i pherthynas â'r môr drwy wneud rhywbeth, wel, awtistig, sef codi morglawdd gan gronni afonydd Taf ac Elái. Ond, yn fwy na hynny, fe oedd y Capten Evans wnaeth ddarganfod Mrs Mystery – yn y môr ger arfordir Califfornia.

Yn yr Avondale yr oedd y ddau ar y pryd, sef yr unig dafarn lle roedd pysgod mewn tanc yn cymryd lle'r teledu ac yn cynnig llawn mwy o ddiddanwch. Pam? Wel, am mai pysgod piranha oedd yn byw yn y tanc, ac y byddai gwahoddiad di-oed i unrhyw gwsmer newydd i fynd ati i fwydo'r pysgod â chreision blas ffowlyn. Roedd hyn wastad yn ddiléit i'w weld, wrth i'r pysgod coch bron â thasgu allan o'r dŵr wrth geisio bwyta'r croen oddi ar fysedd y twpsyn. Unwaith, roedd rhywun o'r Sali Armi wedi gorfod mynd i'r ysbyty oherwydd ei fod e'n diodde o haemoffilia a bu bron iddo farw drwy golli gormod o waed. Y pysgod? Wel, roedden nhw yn eu seithfed nef a dŵr yr acwariwm yn troi'n gawl goch. Fel bod 'nôl yn yr Amazon pan oedd anaconda mawr tew yn digwydd llithro oddi ar gangen uwchben y llif. Sarff i swper! Bonansa!

– Yn yr hen ddyddiau, t'wel, meddai'r hen gapten, byddai'r Avondale 'ma dan ei sang gyda morwyr o bob cenedl dan haul a neb yn brin o lo tân achos 'na beth oedd yn mynd mas ar y llongau. (A thynnodd yn ddwfn ar ei sigarét Capstan Full Strength.) Os oedd 'na ambell i dunnell yn mynd ar goll – wel, dyna oedd bonws y docwyr, ontife? Ond nawr, wel, fi yw'r unig un sydd ar ôl. Fi a fy nghriw o forwyr o'r Ffilipinas. Ry'n ni'n mynd ar siwrneiau arwrol, wyddost ti, drwy dymhestloedd ffyrnig De'r Iwerydd, gydag albatros wastad yn ein dilyn. Fe fyddwn ni'n teithio yr holl ffordd i ogledd Brasil i nôl tewsudd oren i'w ailgymysgu 'da dŵr ar gyfer yr archfarchnadoedd.

Yn yr amser a gymerodd yr araith fach yma roedd Marky wedi llowcio peint o lager a bwyta nifer o bacedi o sgratjins porc. Doedd e ond wedi cael tair sleisen o facwn, dau wy, selsig a madarch i frecwast ac roedd e wedi gorfod cerdded yr holl ffordd o'r tacsi at y bar, felly roedd angen 'chydig o faeth arno ar ôl yr holl ymarfer corff.

Roedd Capten Evans yn hapus ddigon yng nghwmni rhywun oedd ddim yn holi am y fenyw yn y cwch – roedd 'na rêl nytars o gwmpas yn ei haddoli. Roedd hi i'w gweld ar ffurf tatŵs, graffiti, ym mhob papur dyddiol ryw ben bob dydd. Roedd e wedi hen flino ar y *paparazzi* yn ei ddilyn, fel petai ganddo rywbeth arbennig i'w ddweud, neu allwedd i'r gyfrinach.

– Tttttbbbbwwwbeeemmmmttt?

– Beth? gofynnodd y capten, yn methu deall beth oedd Marky yn ceisio'i ddweud a chanddo lond gob o groen mochyn.

– Ti isie un arall?

– Gymera i rỳm bach, meddai'r capten, a oedd yn fwy na bodlon yn byw fel stereoteip o gapten llong – er bod hynny'n fwy anodd o lawer ers dyddiau gwahardd ysmygu. Wrth gwrs, roedd yr Avondale wastad wedi bod y tu hwnt i'r gyfraith – yn rhannol oherwydd bod hanner CID y ddinas yn arfer yfed yno ar ôl oriau. Ond roedd hyd yn oed y traddodiad hwnnw dan fygythiad nawr bod cynifer o fariau crôm a sglein canol y ddinas ar agor drwy'r nos, nes bod hyd yn oed berygl i afu'r hen stejyrs ymhlith y ditectifs. Cododd Marky ei fawd ar y Capten, a oedd yn gwisgo dec shŵs a het ddenim 'di gweld dyddiau gwell. Am stereoteip.

Archebodd rŷm dwbl a lager ac eisteddodd y ddau i weld beth fyddai'n digwydd i'r dyn dieithr oedd newydd gerdded i mewn. Gallai Marky glywed y dannedd bach yn crensian yn y tanc. Doedd perchennog yr Avondale ddim wedi rhoi gweddillion ei ginio dydd Sul iddynt eto, felly roedden nhw'n newynog, bron hyd at ganibaliaeth.

*

– Rydym yma – cliriodd y crwner ei lwnc cyn mynd ymlaen – i benderfynu sut y bu farw'r diweddar Mark Lancelot Divotts. Rwy'n gwahodd tystiolaeth y patholegydd.

Cyflwynodd y patholegydd, Dr Weevil, ei hun cyn dechrau nodi rhai ffeithiau sylfaenol:

– Pwysau'r galon: tri chan gram. Cyflwr yr afu: sglerotig. Genitalia: normal.

– Gallwn i fod wedi dweud hynny wrtho fe am ddim, sibrydodd Poppaline, cymhares Marky ers deuddeng mlynedd, a'i llais sibrwd yn ddigon cryf i lenwi'r stafell fechan.

Roedd hi wedi gwneud ei gwallt yn sbesial ar gyfer ei diwrnod yn y llys ac wedi defnyddio cymaint o sbrê arno fel ei bod hi'n edrych fel Medwsa, neu un o'r Gorgoniaid

152

gwyllt. Gallai rhywun dyngu mai siwpergliw yr oedd hi'n ei ddefnyddio ar ei gwallt. Roedd hi hefyd yn gwisgo ei dillad mwya atyniadol, rhywiol – oherwydd taw Marky oedd yn talu'r biliau, a byddai angen i rywun arall edrych ar ei hôl o hyn ymlaen. Roedd y crwner yn rhy hen ac yn edrych fel dyn oedd yn ffyddlon i'w wraig, ond roedd tywysydd y llys – yr un 'da'r tro yn ei lygad ac yffach o B.O. – yn edrych fel rhywun allai wneud â'r math o gysur lled-broffesiynol y medrai hi ei gynnig. Taflodd winc ato ond oherwydd y nam ar ei lygad doedd hi ddim yn medru dweud yn bendant a wnaeth e winco 'nôl ai peidio. 'Sdim ots, byddai amser ar gyfer pethau felly ar ôl clywed gweddill y sioe.

Esboniodd y patholegydd fod y diweddar Mr Divotts wedi marw oherwydd sgil-effeithiau cnoc ar ei ben, a oedd wedi achosi gwaedlif.

Cymerodd y crwner yr awenau drachefn.

– Mae'n debyg ei fod wedi cwympo neu wedi cael ei fwrw sawl gwaith yn ystod diwrnod o yfed trwm. Roedd lefel yr alcohol yn ei waed yn uchel iawn, yn uwch nag unrhyw beth welais i mewn deugain mlynedd wrth fy ngwaith.

*

Does 'na ddim byd yn y ddinas yn cael ei wastraffu bellach, rhwng ymdrechion ailgylchu y cyngor a'r cynnydd yn nifer y bobl sy'n crwydro'r strydoedd yn casglu gwastraff yn ffrî-lans. Casglwr llaw-rydd yw Strimmer, ar ôl iddo golli ei waith fel garddwr. Twrio

153

drwy'r sgips y mae e bellach. Ambell waith mae'n gorfod ymladd am yr hawl i wneud hynny, hyd yn oed. Os bydd y sgipiau'n wag, fydd dim dewis ond dwyn. Os nad oes rhywbeth i'w ddwyn, mi fydd yn mynd i'r Sali Armi. Dim ond pan fydd popeth arall wedi methu y bydd e'n derbyn cardod a bowlen o gawl. Mae ganddo egwyddorion.

Yn ei stafell liw leim mae Strimmer yn dihuno i wynebu diwrnod arall o grafu bywoliaeth o ddim byd heblaw cyfrwystra a thwyll. Mae e wedi dihuno ar ganol rhyw ddarn o bornograffi hôm-mêd. Mae e wedi dybio sain rhaglen goginio dros un o'i ffilmiau porno, am laff, ac yn wir, mae'n ddoniol iawn. Dyma mae e'n ei glywed: 'Ma' 'na lawer o bobl sy ddim yn gwybod dim byd o gwbl am yr hyn y maen nhw'n ei fwyta . . .' (ac mi roedd hyn yn ffynni iawn yn y cyd-destun). Ond mae'r geiriau'n rhoi syniad newydd iddo.

Awr yn ddiweddarach roedd Strimmer i lawr yn yr Army Surplus yn prynu offer pysgota a rhwydi, sachau henffasiwn, rhaffau a deg pecyn enfawr o hadau, ynghyd â dillad cuddliw. Roedd hi'n edrych fel tase fe'n mynd i fyw ynghanol nunlle ond aeth e ddim yn bell y prynhawn hwnnw. Dim ond mor bell â phopty Brannigans lle rhoddodd ddecpunt i'w fêt Jock oedd yn gweithio 'da seciwriti a adawodd iddo fynd y tu ôl i'r ffatri i osod ei drapiau. Roedd colomennod a gwiwerod yn heidio yno i bigo'r grawn fyddai'n cael ei golli pan oedd y lorïau enfawr yn dadlwytho.

Gyda'i drapiau syml a'i hadau ychwanegol, roedd Strimmer yn teimlo'n sicr y byddai'n medru llenwi'r sachau, ac yn wir o fewn ychydig oriau roedd e wedi dal dwsinau o golomennod a dwy wiwer aeth yn hollol wallgo yn y rhwyd. Byddai'n lladd pob un ohonynt gyda phastwn.

Erbyn y prynhawn roedd ei waith drosodd y tu ôl i'r popty. Roedd e wedi blingo'r plu a'r ffwr ac yn barod i deithio draw i weld ei fêt Cenith, oedd yn mynd i hurio'r byrger fan iddo fe. Whare teg, roedd e hefyd wedi cynnig gwneud marinêd hyfryd ar gyfer y cig, gan ddefnyddio wyth math o berlysiau.

Cebabs ieir gini oedd ar y fwydlen yn y fan ond oherwydd bod rhai o'r colomennod braidd yn anorecsig, er gwaetha'r digonedd o fwyd (rhaid eu bod yn sâl), roedd Strimmer wedi penderfynu cynnig 'petris' a 'soflieir' hefyd, mewn bap neu gyda reis brown.

*

Roedd y lleuad yn feichiog, cilgant llawn golau uwchben de'r ddinas wrth i Jimmie gerdded i lawr i'r dociau â phecyn llawn o boteli cwrw ar ei gefn a stumog yn llawn pryder. Roedd e'n dod o deulu crefyddol – ei fam-gu'n credu bod ei Gwaredwr yn fyw ac yn byw mor agos ag Adamsdown. Ond doedd Jimmie ddim yn credu, mewn na Duw na diafol. Eto, dyma lle roedd e, ar ei ffordd heibio'r llynges o longau glo dan wybren oedd yn dywyll fel y fagddu, yn ddu fel bola buwch, ar wahân i'r cymylau o gwmpas y lleuad oedd yn hufennog 'da golau egwan. Deg munud o gerdded a byddai yno. Aeth yn ei flaen a'i wynt yn ei ddwrn, gan stopio ddwywaith – unwaith i agor potel gwrw 'da'i ddannedd ôl, cyn llyncu'r cynnwys mewn un, heb anadlu, a'r ail waith pan oedd e'n medru gweld y groesffordd. Yr adeg honno stopiodd i wacáu ei bledren a sylweddolodd fod ei ddwylo'n crynu.

Teimlai fel idiot yn llechwra yn y cysgodion yn disgwyl i rywbeth ddigwydd. Oedd e i fod i alw mas? Sefyll reit ar ganol y groesffordd? Sut at y ddaear mae rhywun yn dweud wrth y diafol ei fod yn barod i drafod telerau? A fyddai 'na arogl swlffwr ar hyd lle?

Roedd Jimmie'n dechrau oeri a thynnodd ei got yn dynn o gwmpas ei ysgwyddau. Cronnai ofn fel iâ yn ei stumog. Clywai ei galon fel drwm cyntefig yn curo'n uwch ac yn uwch. Symudai cysgodion fel nadredd wrth i frigau coed symud o flaen goleuadau cryfion y ffatri gerllaw. Doedd dim sôn am neb. Edrychai i bob cyfeiriad, â'i geg yn sychu a'i groen yn chwysu. Edrychodd ar ei wats. Yna'n ddisymwth daeth dyn i'r golwg, neu siâp dyn a chanddo lais hisian nwy, fel methan yn dianc o gors. Roedd yn drewi hefyd – nid o swlffwr ond o rywbeth dipyn mwy pwerus, arogl allai reslo 'da chi.

– Jimmie . . . meddai . . . Jimmie, Jimmie, Jimmie. Fel petai'n chwarae 'da'r enw ac yn ei ddirmygu yn yr un ana'l ddrewllyd.

Doedd Jimmie ddim yn gwybod beth i'w wneud, yn enwedig gan nad oedd gan y dyn ddim wyneb, dim ond düwch. Er yr holl ddelweddau a welsai o'r Diafol, roedd y peth yma a oedd yn sefyll o'i flaen, y ddrychiolaeth yma, yn gwbl wahanol. Dim cynffon. Dim byd coch, dim fforch. Eto, roedd e'n gwybod taw'r diafol oedd e, oherwydd y ffordd roedd y gwynt wedi tewi, y cymylau wedi bwyta'r lloer, a'r oerni yn y llais oedd fel llofrudd plant yn darllen cofestr ysgol. Lledodd yr iâ oddi fewn iddo.

Byddarai'r drwm.

– Beth ti isie? Beth ti isie, Jimmie?

Roedd Jimmie wedi bod yn paratoi'r geiriau ac yn ymarfer yn y drych, fel actor eilradd.

– Mae gen i ferch, dechreuodd. Dwi isie iddi ganu ar lwyfan. Canu fel angel.

– Nid fel angel! chwarddodd y Diafol. Alla i ddim caniatáu hynny. Ma' gormod o'r diawled ar hyd y lle yn barod.

– Dwi am iddi ganu'n ddigon da fel na fydda i'n gorfod poeni amdani byth eto. Llais fel melfed, llais fel neb arall.

– Ac am hyn rwyt ti'n fodlon llofnodi'r llyfr bach du?

– Ydw. Ond dwi am iddi ganu mewn ffordd fydd yn toddi calonnau.

– Bydd hi'n hudo cynulleidfaoedd, cred di fi. Mae'n werth pris y cytundeb. Dyma fe iti.

Taniodd y diafol fatsen er mwyn iddo weld ymhle i dorri ei enw.

Doedd ei law ddim yn crynu wrth iddo lofnodi'r llyfr. Pan ychwanegodd Jimmie'r atalnod llawn, roedd yn gwneud hynny yn yr awyr. Roedd y llyfr wedi diflannu. Y diafol wedi diflannu. A'r lleuad unwaith eto'n llawn. Eisteddodd Jimmie ar y llawr, a dechreuodd grynu, ei gorff allan o reolaeth yn llwyr, *paroxysm* ar ôl *paroxysm* o boen a rhyddhad wrth i'r drymiwr oddi fewn geisio torri'n rhydd.

*

Yn eu swyddfeydd newydd sgleiniog, yn edrych tuag at yr Eglwys Norwyaidd yn y Bae, mae tîm *Y Byd ar Bedwar* yn trafod eu cynlluniau tymor byr. Gan fod ITV Cymru wedi mynd i ebargofiant bellach, mae'r criw o ddeuddeg sy'n cynhyrchu'r *Panorama* Cymraeg wedi sefydlu eu cwmni eu hunain, gan wneud stwff yn Gymraeg a Saesneg. Mae'r newyddiadurwyr yn eu plith yn ystyried mynd sha thre achos y newidiadau dybryd yn y diwydiant. Ond maen nhw'n dal i gynnal y safonau am nawr.

Ers i'r rhaglen Gymraeg ddod dan ofal y comisiynydd adloniant ysgafn yn S4C – gan mai adloniant ysgafn yw popeth bellach a does 'na neb sy'n edrych ar y bocs eisiau dadansoddi na chlywed am drafferthion tramor – roedd sglein yn fwy pwysig na sylwedd. Erbyn hyn, roedd y rhaglen yn cael ei darlledu'n fyw o stiwdio oedd yn fôr o lifoleuadau fel yr hen, hen ffefryn *The X Factor* ac yn lle cwrso drwgweithredwyr ar stepen y drws roedden nhw'n cyflwyno'r achos yn eu herbyn yn fyw ar y rhaglen, gydag adlais o Jerry Springer ond bod cynhyrchydd y rhaglen hon dipyn yn fwy creulon na'r hen Jerry.

Dysgwraig oedd y cynhyrchydd, Lucrezia Mantol, yn enedigol o Ynys-y-cŵn, ger Millwall. Roedd hi'n drefnydd clwb cefnogwyr y tîm ffwtbol yno, nes i dîm *World in*

158

Action roi sylw i'w gweithgareddau hiliol, treisgar, a'r canlyniad oedd sbel yng ngharchar Selly Oak. Yno, bu hi'n rhannu cell gyda Catrin ap Huwcyn, aelod o Cymal 30, eithafwraig o ymgyrchydd iaith oedd yn credu mewn defnyddio unrhyw fodd posib i ymladd yn erbyn y llif o fewnfudwyr i'r Fro Gymraeg. Ei *modus operandi* hi oedd herwgipio anifeiliaid anwes nifer sylweddol o newydd-ddyfodiaid i'r Fro a'u poenydio o flaen camera cyn anfon y tâp i'r perchnogion pryderus. Aeth yn rhy bell pan anfonodd goes Jack Russell drwy'r post a bu un o'r gweithwyr yn y swyddfa bost agosa at ei chartre yn ddigon effro i weld gwaed yn dod allan o'r papur brown a thynnu sylw'r arolygwraig. Yn y gell, dros gyfnod o ddeunaw mis, mi ddysgodd Lucrezia Gymraeg oddi wrth Catrin, tra dysgodd Lucrezia iddi hithau sut i ffugio dogfennau, sut i wneud Molotov coctel a hanfodion Kung-fu.

Doedd perswadio'r siarcod benthyg arian a'r plismyn ar y têc i ddod i'r stiwdio ddim yn beth hawdd nes bod cynhyrchydd y rhaglen wedi digwydd cael cinio gyda'r prif gwnstabl ym mwyty Le Gallois a darganfod bod 'na dwll cyfleus yn y gyfraith. Roedd hi'n bosib trin y sesiwn holi yn y stiwdio yn union fel sesiwn oedd yn digwydd yn un o gelloedd y cop siop, a gallai'r heddlu wedyn ddefnyddio'r wybodaeth i arestio'r troseddwyr dan amheuaeth (ar yr amod fod 'na gofnod iawn o'r digwyddiad a bod hawliau'r unigolyn wedi'u egluro iddo). Roedd tâp o'r rhaglen yn ddigon i ddangos bod y broses yn un deg a pha droseddwr oedd yn mynd i ddadlau bod hyn yn groes i'w hawliau dynol, os oedd yn rhaid iddo fe dalu cyfreithiwr o'i boced ei hun i osod ei achos gerbron?

Cynlluniodd Lucrezia a'r criw batrwm ar gyfer y rhaglenni i ddod. Sicrhawyd bod 'na ddigon o bobl ar gyfer y gynulleidfa, gan y byddent yn gorfod bwrw pleidlais yn fyw ar y rhaglen – rhywbeth tebyg i'r hyn yr oedd yr Ymerawdwr yn ei wneud yn Rhufain gynt. Bys bawd i fyny. Bys bawd i lawr. Torrwyd trêls pwerus yn addo dim byd llai i'r gwyliwr na'r gwirionedd. Mi fyddai nos Lun nesa yn sbesial estynedig ynglŷn â Marinara yng Nghymru ond roedd 'na fwlch yr wythnos ar ôl hynny. Dywedodd y prif ohebydd fod ganddo ddyn mewn golwg i'w gyf-weld yn y stiwdio. Ei enw iawn oedd Steven Thomas, ond bod pawb yn ei alw fe'n Strimmer. Mae'n debyg ei fod yn dipyn o gogydd . . . a'i fod yn coginio pob math o bethau. Disgrifiodd sgam sylweddol, gan gynnwys bod Strimmer bellach wedi derbyn grant sylweddol gan y Llywodraeth i ehangu'r busnes. Oherwydd bod criw *Y Byd ar Bedwar* yn paratoi nifer o raglenni eraill, gan gynnwys stwff busnes, roedd yn swnio'n destun delfrydol.

*

Yn y fflat cyfrodd Strimmer yr arian yr oedd wedi'i dderbyn y tu allan i Barc Ninian ar ôl y gêm yn erbyn Caerlŷr/Leicester – lle roedd ei gambit marchnata'n apelio at genedlaetholdeb cefnogwyr Caerdydd yn hytrach na'r ffŵdis yn eu plith. 'Good Welsh Food – just like your mother makes!'

Roedd wedi gwerthu wyth cant bap colomen gan dderbyn dros ddwy fil o bunnoedd. Roedd e'n arian hawdd a'r unig gost oedd llogi'r fan a phrynu'r bara. Gallai brynu ei fan ei hun cyn diwedd y mis, yn ôl sut roedd pethau'n siapo. Gydag arian y Llywodraeth mi allai brynu fflît ohonynt, meddyliodd.

Ffoniodd ei ffrind agosa, a gofyn a oedd ganddo stumog gref? Roedd hwnnw wedi bwyta ymennydd mwnci heglog yn Guatemala, felly, oedd, roedd ei stumog wedi'i gwneud o Teflon.

– Pam?

– Wel, dwi am i ni fwynhau rhyfeddodau pensaernïaeth Fictoraidd, atebodd Strimmer gyda gwên slei.

Ei fwriad oedd disgyn dan strydoedd y ddinas, i'r system garthffosiaeth, i gasglu cynhwysion. Yno, mae'n debyg fod y pileri a'r gwaith brics yn berlau pensaernïol. Nid bod Strimmer yn hidio.

*

Roedd angen tystiolaeth ffilm ar gyfer y rhaglen, felly roedd hen law o newyddiadurwr o'r *Byd ar Bedwar* yn eistedd mewn car dros y ffordd yn smalio'i fod yn darllen llyfr pan ddaeth y ddau ddyn mas o loc-yp Strimmer a neidio i mewn i'r fan. Ond, drwy anffawd, mi gollodd olau gwyrdd a bu'n rhaid iddo wylio'r fan yn troi'r gornel, a dyna'r diwetha welodd e ohonyn nhw y diwrnod hwnnw. Ond mae ganddyn nhw eisoes samplau bwyd a'r rheini'n cael eu dadansoddi mewn labordai. Fydd yn ddigon.

Prin fod y siopwyr ar Heol y Santes Fair a Stryd y Frenhines yn sylweddoli beth sydd dan eu traed. Mynegwyd athrylith Oes Fictoria mewn myrdd o ffyrdd ond 'chydig sy'n gwybod am y catacwmau drewllyd dan ein prifddinas. Yno, mae'r awen bensaernïol a greodd orsaf San Pancras a'r Midland Grand Hotel wedi creu dyfrffosydd ar gyfer carthion y brifddinas, ac wedi gwneud hynny ag addurn a dychymyg.

Yn y prif siambrau mae 'na sawl bwa enfawr o frics – un sy'n awgrymu'r haul, un arall y lloer – ac mae 'na hyd yn oed ffresgo sy'n adrodd stori Josiah Cardiff, y miliwnydd cynta ym Mhrydain, ac wrth gwrs, y dyn roddodd ei enw i'r ddinas.

Mae'n stori sy'n werth ei hadrodd efallai, hyd yn oed cyn esbonio beth mae Strimmer a'i fêt yn ei wneud yn dringo i lawr y grisiau rhydlyd sy'n arwain tuag at y brif siambr danddaearol, sef Siambr Cardiff, a'i delwedd bwerus o un o ddynion mwya galluog ei oes.

Ganwyd Josiah Cardiff dan yr enw Josiah Bertram Evans, yn fab i weithiwr yn y gwaith copr a mam oedd yn wniadwraig – yn Stryd Constellation, yn Sblot, yn 1820 – flwyddyn yn union ar ôl geni'r Frenhines Fictoria ei hun. Yn yr ysgol roedd yn ddisgybl digon da ond doedd dim arwydd yn y byd o'i wir alluoedd. Bwriodd brentisiaeth gyda siandler nwyddau'r môr yn Nhre Biwt, a chwrdd â nifer o gwsmeriaid lliwgar, ond roedd 'na un a oedd yn fwy lliwgar na'r un o'r lleill, sef Harry Erasmus Cardiff, dyn oedd yn cynllunio llongau i'r llynges. Mae'n stori enwog bellach sut y daeth Cardiff i mewn i'r siop un diwrnod a gweld y bachgen wrthi'n

162

dyfeisio system i gludo'r nwyddau o un pen i'r siop i'r llall gan ddefnyddio rhwydwaith o weiars a pheiriant bach syml yr oedd e wedi'i wneud i dynnu'r weiars. Roedd 'na un peth clyfar iawn ynglŷn â'i ddyfais, sef bod yr olwyn fach oedd yn casglu neu'n rhyddhau faint bynnag o weiar oedd ei angen yn cario tag bach metel yn dangos pris yr eitem – boed hynny'n fenyn neu lathen o gynfas – a doedd y siopwr wedyn ddim yn gorfod cerdded 'nôl i gefn y siop i ofyn beth oedd pwysau hyn a'r llall.

Cynigiodd Cardiff brentisiaeth i'r bachgen. Aethant yn syth i'r gwaith copr i weld ei dad, a oedd wedi'i synnu'n fawr pan welodd y cerbyd crand ac a gafodd ei dristáu yn ddirfawr pan sylweddolodd y byddai'r bachgen yn symud i fyw 'da'r dyn urddasol yma o dan delerau'r cynnig oedd gerbron.

Wrth iddynt sefyll yn trafod hyn ar iard y ffatri cyrhaeddodd sawl teulu tlawd yn cario piso i'w werthu, gan fod wrin yn hanfodol yn y broses o gynhyrchu copr a chasgliadau'r nos yn medru bod yn incwm iddynt. Roedd wrin yn werth mwy na dŵr, oedd yn eironig ddigon.

– Wyt ti am fod yn bensaer? gofynnodd i'w fab, gan wybod beth fyddai'r ateb, o gofio'i chwilfrydedd cyson.

Atebodd y bachgen yn glir a gwnaethpwyd trefniant i fynd â fe draw i gartre Mr Cardiff y nos Sul ganlynol. I'w fam, roedd yn debyg i alaru, wrth orfod prynu trync i gario'i ddillad, ac er bod 'na gytundeb y gallai'r rhieni alw i'w weld unrhyw bryd y mynnent, roedd y ffaith eu bod yn dod o'r dosbarth gweithiol a milórd Cardiff yn byw mewn byd cwbl estron iddynt yn golygu na fyddent byth yn galw heibio am de yn ei gwpanau tsieini.

Setlodd y bachgen yn gyflym i'w fywyd newydd. Wedi'r cwbl, roedd cael gweision a morynion da fel cael ffrindiau newydd. Roedd yna rywbeth hoffus iawn am Mr Cardiff hefyd, ac roedd pobl oedd yn gweithio iddo yn hapus a doedden nhw byth yn grwgnach. Crand oedd y tŷ a niferus oedd y llyfrau cloriau lledr oddi mewn iddo.

Er y gallai Mr Cardiff fod wedi paratoi'r crwt ar gyfer coleg a sicrhau ei fod yn dysgu popeth perthnasol yno, roedd 'na ddigon o dystiolaeth fod y bachgen yn mynegi ei glyfrwch drwy reddf – yn gwybod beth oedd ei angen i ateb problem, neu sut i ddatrys rhywbeth ar bapur yn gynta – felly mi benderfynodd addysgu'r bachgen ei hun, gyda help tiwtor mathemateg oedd yn dod o Hwngari, a chanddo acen oedd yn ddoniol o estron i glustiau Josiah. Erbyn iddo droi'n un ar bymtheg roedd y bachgen wedi dysgu sut i greu lluniau pensaernïol technegol, manwl ac o fewn dwy flynedd arall yr oedd nid yn unig wedi cynllunio llong ond wedi'i gweld hi'n cael ei hadeiladu o bren a haearn. Heb sylweddoli'n llwyr ei fod yn gosod sylfaen ar gyfer llynges bwerus, a thrwyddi ffordd o gadw gafael haearnaidd ar rannau mawr o'r byd dan faner Yr Ymerodraeth Brydeinig. Ac yn achos Josiah roedd y gair 'haearnaidd' yn briodol iawn oherwydd mai fe gynlluniodd yr HMS *Dreadnought*, y llong ryfel gynta i'w gwneud o haearn, y llong a sicrhaodd y byddai Prydain yn teyrnasu ar y moroedd mawr yn ogystal â'r tir. 'Rule Britannia, Britannia, Rule the Waves' – cân y byddai rhai'n dweud a gafodd ei derbyn yn anthem genedlaethol answyddogol, ond bod y cyfansoddwr, Thomas Arne, yn meddwl am Josiah ac nid am y genedl pan sgrifennodd y gerddoriaeth i gyd-fynd â'r gerdd boblogaidd. Roedd Josiah yn arwr iddo yn gynnar yn ei fywyd.

Ychydig wythnosau cyn lansio'r HMS *Dreadnought* yn Greenwich, eisteddodd Mr Cardiff i lawr gyda Josiah er mwyn trafod syniad o bwys.

– Rwyt ti wedi bod fel mab imi dros y blynyddoedd a dyw geiriau ddim yn ddigonol i esbonio pa mor falch wyf ohonot a thithau eisoes yn un o ddynion athrylithgar yr oes, cyn cyrraedd dy un ar hugain. Ofynnais i am ddim yr holl amser y buost gyda mi ond rwyf am ofyn dau beth iti nawr. Mae gennyt berffaith hawl i ddweud 'na' i'r ddau, ond gofynnaf iti o leia wrando ar yr hyn sydd gennyf i'w ddweud.

– Fel y gwyddost, roedd gen i wraig unwaith ond bu hi farw funudau ar ôl genedigaeth ein hunig blentyn ac roedd baban bychan hwnnw hefyd yn rhy egwan i oroesi. Taenwyd mantell o ddüwch a phoen dros y blynyddoedd a ddilynodd yr hunllef honno. Ond bu gwaith caled yn achubiaeth i mi, cyfle i feddwl am ddim byd heblaw'r gwaith. Erbyn hyn, rwy'n gallu meddwl amdanynt mewn ffordd annwyl, a phan fyddaf yn mynd i'r fynwent . . . does dim dagrau bellach. A daethost ti i'm bywyd ac rwyf finnau am wneud yn siŵr y byddi di'n iawn, ta beth fydd yn digwydd i mi. Felly, rwyf am gymryd cyfrifoldeb amdanat, yn gyfreithiol. A dymunaf drafod hyn gyda dy fam a'th dad.

Edrychodd Josiah arno fe fel petai'n disgwyl clywed ail gymal ond roedd Mr Cardiff yn oedi er mwyn clywed ei ateb.

– Ma' hynny'n iawn, syr. Mae wedi bod yn anrhydedd bod yn eich cwmni cyhyd ac fel y gwyddoch, dwi wedi dysgu llawer ac yn dymuno dysgu mwy.

– Ond rwyf am ofyn rhywbeth arall, sy'n gofyn mwy ohonot ti a'th deulu. Rwyf am gynnig fy enw iti. Josiah Betram . . . Cardiff. Shwd mae hwnna'n swnio?

– Mi fasai'n anrhydedd. Dwi'n siŵr y bydde 'nhad a mam yn meddwl hynny hefyd. Mawr yw fy nyled, syr, meddai a chyffwrdd ym mlaengudyn ei wallt yn wasaidd.

– Fydd dim angen mwy o hynna. Byddwn yn gwbl gyfartal yn llygaid y gyfraith ac ym marn ein gilydd o hyn ymlaen. Iawn, fy machgen, mi yrra i lythyr at dy rieni i ofyn a fydd yn gyfleus i mi ymweld â nhw rywbryd yn gynnar yr wythnos nesa.

Roedd lansiad y llong yn basiant o liw a sŵn, gyda bandiau pres yn eu lifrai a'r pwysigion i gyd yno, a Josiah yn dal ei anadl wrth iddi sleifio i mewn i'r dŵr, er gwaetha'r pwysau mawr, heb suddo!

Llanwyd ei rieni a Mr Cardiff â balchder. Bu'n rhaid i'r *Times* droi at air Almaeneg i ddisgrifio campau'r dyn ifanc – *wunderkind* – gan awgrymu y gallai'r dyn yma gynllunio llong wedi'i gwneud o bapur, hyd yn oed. A honno'n llong allai roi cweir i unrhyw lynges yn y byd.

Ddwy flynedd yn ddiweddarach cynlluniodd Josiah Cardiff long ryfel oedd bron ddwywaith maint yr HMS *Dreadnought*. Dwywaith y maint ac eto yn fwy cyflym. Mi gynigiodd y llynges ei galw yn HMS *Cardiff*.

Aeth Josiah ymlaen i gynllunio rheilffordd yn yr Alban a'r llong danddwr gynta, heb sôn am arbrofion cemegol fyddai'n cael eu cydnabod fel sylfeini creu plastig maes o law. Yn ninas ei febyd roedd yn enwog am greu'r llong ryfel fwya erioed, ac ar ôl ei dyddiau ar y môr cafwyd lle iddi yn Noc Pedwar yng Nghaerdydd, lle bu hi'n tra-arglwyddiaethu dros y nenlinell am flynyddoedd, nes bod gofynion milwrol yn mynnu ei bod hi'n cael ei thoddi yn y ffowndri fel sgrap. Roedd yn naturiol ddigon fod enw ei mab enwoca yn cynnig enw i'r ddinas hefyd. Jamestown. Washington. Cardiff. Atebion i gwestiynau cwis sy'n gofyn i chi enwi llefydd wedi'u henwi ar ôl dynion . . . A rhag ofn bod yr un cwestiwn yn dod lan am fenywod, cofiwch am Athen, Charlotteville a sawl Fictoria fan hyn a fan draw, heb sôn am Alice Springs. Bydd enw Josiah Cardiff byw tra bydd 'na ddinas yno i arddel ei enw.

Ac ar ei enw ef, mewn bricwaith cymhleth mewn siambr ddrewllyd, mae Strimmer a'i fêt yn syllu ar ôl iddynt drefnu'r trapiau ar y tramwyfeydd oedd yn cysylltu'r prif siambrau. Roedd y drewdod yn ddigon i godi cyfog ar rywun, yma yng nghloaca'r ddinas ond roedd Strimmer wrth ei fodd wrth weld y miloedd o anifeiliaid mochedd oedd yn tasgu mewn a mas o'r dŵr a sgrialu o'u blaenau. Roedd gyda fe rysáit yr oedd wedi'i addasu'n barod – ar ôl siarad â chapten llong roedd e wedi cwrdd ag e mewn tafarn ac a oedd wedi sôn wrtho pa mor flasus oedd y *cuy*, y mochyn gini. Un o ddanteithion Periw.

Dyma oedd gan y gyfrol *Hot Food from the Andes* i'w ddweud am baratoi *cuy,* ac wedi'r cwbl, beth fyddai'r gwahaniaeth o ran maint rhwng mochyn gini a llygoden Ffrengig, yn ffres ar y diawl o garthffosiaeth Caerdydd?

'Mae *cuy* ar gael yn y farchnad wedi eu blingo yn barod, ond mae sawl ffordd o baratoi eich *cuy* eich hun. Dechreuwch drwy lanhau eich *cuy* mewn dŵr poeth, gan dynnu'r perfedd a glanhau'r corff yn drwyadl mewn dŵr hallt. Ar ôl hyn, gallwch hongian y *cuy* er mwyn ei ddraenio a'i sychu. Gan mai anifeiliaid bychain yw *cuy*, bydd angen o leia un i bob person, os nad ydych yn bwriadu torri'r cig yn fân. Gan amla bydd angen torri'r anifail lawr y canol a'i goginio'n gyfan, heb gael gwared ar y pen, er nad yw rhai pobl yn rhy hoff o weld y dannedd bach yn gwenu arnynt oddi ar y plât.

Mae rysáit traddodiadol ar gyfer *cuy* a saws poeth yn galw am:

3 neu 4 *cuy* (rhai tew, os yw'n bosib)
50 gram o rawn ŷd wedi eu rhostio, neu flawd india corn
2 cilo o datws wedi eu rhannol ferwi a'u torri'n dafelli
8 ewin garlleg
6 pupur ffres, coch neu felyn
hanner cwpanaid o olew
hanner cwpanaid o ddŵr
halen, pupur a chwmin

Rhwbiwch y *cuy* gyda chymysgedd o bupur, halen a chwmin, a'u rhostio (gallwch eu coginio ar farbeciw hefyd). Paratowch saws gan ddefnyddio'r olew, y pupurau, y garlleg a'r blawd india corn, ynghyd â dŵr o'r sosban dato. Coginiwch y saws am ychydig funudau nes bod y pupurau yn dyner neis. Yna gosodwch y cig mewn dysgl ac arllwys y saws drosto. Gallwch ei weini gyda thato ar yr ochr.

Byddai Strimmer yn dilyn y rysáit i'r gair, ar wahân i ddefnyddio llygod ffyrnig, Ffrengig. Ond credai y byddai'n cael gwared ar y pen.

Erbyn iddynt osod y trapiau ola roedd y rhai cynta – yn llawn abwyd o finiau sbwriel Neat Eats yn Nhreganna (gweddillion brecwastau llawn yn benna) – wedi dal a lladd llwyth o'r cnofilod hyll. Aethant ag wyth sach yn ôl i'r uned ar y stad ddiwydiannol lle roedd Strimmer wedi sefydlu'r gegin sylweddol i baratoi'r bwydydd parod y byddai'n eu gwerthu o'i fan â'r slogan 'Bargeinion Blasus/Tasty Bargains' ar yr ochrau a'r blaen. Roedd e wedi prynu'r fan gyda'r arian a gawsai am werthu dwsinau o wiwerod i foi sy'n gwneud *spaghetti bolognese* yn Rhydaman ar gyfer cartrefi hen bobl y sir.

*

Balchder yn llenwi tad fel balŵn, nes ei fod bron â thagu ar yr holl falchder 'na sy'n chwyddo oddi mewn iddo: dyma beth sy'n digwydd i Jimmie wrth iddo wrando ar ei ferch yn canu fel ehedydd o flaen y beirniaid, sy'n amlwg wedi'u swyno gan y llais pur. I'w clustiau gwerthfawrogol, llifa nodau fel nentig glir, bur pen mynydd drwy'r neuadd les yn nociau Caerdydd – lle mae merch Jimmie, Doreen, yn cystadlu am gyfle i fynd i'r rownd derfynol yn y Palladium yn Llundain. Mae Doreen yn canu'n dlos, ei llygaid yn llawn bywyd, ei gwefusau'n ffurfio'r geiriau'n glir, ei hynganiad fel rhywun o fyd opera, er na chafodd hi erioed wers anadlu. Darganfyddodd ei llais un bore – rhywbeth oedd wedi cyrraedd ar ôl siwrne hir, fel gwennol. Erbyn y prynhawn, roedd y llais wedi datblygu, gan droi'n offeryn gwell na llais aderyn. Roedd ei llais ei hun yn sioc iddi, cystal roedd yn medru cynnal alaw.

– Well done, Miss, medd cadeirydd y panel wrth gyflwyno tusw o flodau iddi ynghyd â siec nid ansylweddol. You'll be a fine ambassador for Tiger Bay and Cardiff when you go to the final.

Ac wrth gwrs, dair wythnos yn ddiweddarach aeth y ferch un ar ddeg mlwydd oed ymlaen i ennill y gystadleuaeth, gan adael merched bach o Bolton a Chaerliwelydd yn eu dagrau.

Dros y blynyddoedd byddai nifer o dadau a mamau ac ewythrod a modrybedd yn sefyll ar y groesffordd yn disgwyl eu tro – cymaint yn wir fel y bu rhai yn uffern yn awgrymu y dylid agor rhagor o neuaddau yn y ddinas er mwyn i'r cerddorion newydd gael cyfle i ganu yn fwy cyson.

Roedd un wedi gofyn am ddêl dau-am-bris-un ar gyfer ei ddau fab, ond roedd yn rhaid i'r diafol esbonio'n flin wrth y dyn o'i flaen taw dim ond un enaid oedd ganddo i'w roi.

Dymuniad tad arall oedd y byddai ei fab yn cael canu gydag enwogion megis Van Morrison a Bob Dylan. Ac fe ddigwyddodd hynny.

Yn ei lyfr cownt, nododd y Diafol yr enwau rhwng y cloriau lledr, gan lyfu blaen ei bensil ag awch. Lladd amser yr oedd e, fel cynifer o bobl oedd yn aros i'r Fenyw gyrraedd, ond roedd e'n llwyddo i wneud hynny a chael tali go dda o eneidiau yr un pryd.

*

Clywodd y llys am ergydion i ben Marky yn ystod ei bererindod meddwol.

Yn Dempseys dechreuodd ffeit pan awgrymodd Marky mai fe oedd tad y barman, ar ôl cael cwic-wan gyda'i fam rai blynyddoedd ynghynt. Gwylltiodd y barman a'i daflu allan drwy'r drws ond oherwydd bod Marky mor feddw mi fethodd ag achub ei hunan. Glaniodd ei ben ar y pafin gyda chlec. Ffoniodd y barman am ambiwlans ond erbyn i'r parafeddygon gyrraedd roedd Marky ar ei ffordd i'r yfdy nesa, wedi prynu cap gwlân ar y ffordd er mwyn cadw'r gwaed rhag llifo i lawr ei wyneb.

Yn Mooley's Pool Emporium gafodd ei fwrw gan ffon filiards, a'i fwrw'n ddigon caled i agor y grachen newydd dan ei gap. Bu'n chwarae gêm pŵl am arian ond, ar ôl iddo golli, gwrthododd dalu – ac yn Mooley's mae hynny'n waeth na llofruddiaeth, gan fod y bois yno yn ennill eu bara menyn drwy hyslo.

Ac yna daeth yr amser i dyst newydd ymddangos. Pan wnaeth y gyrrwr tacsi, Marvin Gaye – ie, wir i ddyn ichi – ddod gerbron, doedd y dyn gwyn yma yn ddim byd tebyg i'r canwr Motown a gyflwynodd ganeuon fel 'Let's Get it On' a 'Sexual Healing' i'r byd. I ddechrau roedd Mr Gaye, o Laneirwg, yn un stôn ar hugain a phan aeth i eistedd i lawr o flaen y crwner mi ddinistriodd y gadair,

171

â'r coesau pren yn saethu mas oddi tano a phawb yn chwerthin er gwaetha'r ffaith eu bod nhw'n eistedd mewn llys.

Ar ôl i bawb setlo i lawr ac ar ôl i un o staff y llys ffindo cadair fetel i Marvin, mi ddisgrifiodd y gŵr sut y bu i Marky gwympo'n ôl wrth ddod i mewn i'w gab ar noson ei farwolaeth, gan fwrw'i ben eto. Llwyddodd ei gwsmer i godi ei fag plastig o Bangalore Delite oddi ar y llawr a thynnu ei hun i fewn. Siaradodd yn ddi-stop yr holl ffordd adre, er bod yr iaith yn swnio fel Serbo-Croateg, gan ei fod erbyn hynny yn siarad iaith ryngwladol y meddw. Gwelodd y gyrrwr tacsi Marky yn cerdded lan y llwybr at y drws ffrynt fel rhywun yn cystadlu mewn cystadleuaeth slalom. Wedyn cwympodd yn erbyn y ffens bren gan adael twll ynddi, a chyfesodd Marvin ei fod wedi mwynhau'r sioe yn yr ardd wrth i Marky godi ar ei draed, cwympo eto ond llwyddo rywsut i gadw'r cyrri rhag cwympo mas o'r bag.

Diolchwyd iddo am ei dystiolaeth, ac yna galwyd ar wraig Marky i ddod gerbron. Bu oedi. Roedd hi'r tu allan yn smocio tamaid bach o *ganga* er mwyn lleddfu'r nerfau.

Holwyd hi am yr hyn a ddigwyddodd ar ôl i'w gŵr ddod i mewn i'r tŷ ac mi esboniodd sut yr oedd e wedi dod i mewn a dodi'r bwyd ar y ford, yna llusgo'i hunan bron i fyny'r staer. Ond wedyn, mi glywodd e'n cwympo i lawr y grisiau a phan edrychodd hi, roedd yn gorwedd ar ei gefn ac yn cael trafferth anadlu.

– Beth wnaethoch chi nesa, Mrs Divotts?

– Mi wnes i chwarae gyda'i glustiau – rhwbio llabedi ei glustiau'n galed.

Ar ôl i'r gynulleidfa fechan setlo i lawr a stopid chwerthin, dyma'r crwner yn gofyn eto iddi esbonio pam yr oedd hi wedi chwarae gyda'i glustiau, ac atebodd hithau'n ddiflewyn-ar-dafod ei bod hi wedi darllen mewn cylchgrawn mai dyna'r peth iawn i'w wneud. Ni ofynnodd y crwner iddi pa gylchgrawn yn union ond gwyddai nad y *Lancet* mohono. Holodd faint o'r gloch y gwnaeth hi ffonio am ambiwlans a chwestiynu ymhellach pam nad oedd cofnod y Gwasanaeth Ambiwlans yn cyd-fynd â'r hyn a gofiai hi.

Ac yna cafwyd fflach o ysbrydoliaeth a gofynnodd y crwner:

– Beth ddigwyddodd i'r *chicken dansak*, Mrs Divotts?

– Wnes i ei fwyta fe – doedd dim pwynt gadael i fwyd da fynd yn wast, oedd 'na?

– Ac a oedd hyn cyn neu ar ôl i chi ffonio'r ambiwlans?

Gwridodd gwraig Marky, hyd yn oed drwy'r tri milimetr o golur oedd wedi'i blastro ar ei bochau.

– Cyn ffonio.

Ebychiad ar y cyd gan bawb yn y cwrt yr un pryd.

– Felly, Mrs Divotts, mi wnaethoch chi fwyta'r bwyd tra bod eich gŵr yn gorwedd ar waelod y grisiau yn methu anadlu'n iawn.

A dyna ran ola'r jig-so. Bu'n rhaid i'r crwner ddod i'r casgliad na fyddai hi byth yn bosib dweud yn union beth laddodd Marky, ond roedd ei wraig wedi llowcio bara naan a bymalos a findalŵ a dau lot o reis tra bod

173

Marky'n cwffio am ei anadl yn y pasej. Diwrnod arall o waith, diwrnod arall ymhlith rhyfeddodau dynolryw.

*

Yn y post ar ddydd Mercher y derbyniodd Strimmer ei wahoddiad i siarad ar raglen *Best Enterprise* am ei waith a'i lwyddiant. Roedd cais iddo ffonio un o'r ymchwilwyr – naill ai Becky neu Rhiannon – fel y medren nhw ofyn ambell gwestiwn iddo a gwneud y trefniadau.

Danfonwyd car i'w gludo i'r stiwdio – a Strims bellach yn byw yn un o'r fflatiau newydd yn y Bae, â golygfa dros yr erwau meirwon o ddŵr llwydaidd a oedd yn ymestyn draw tuag at Benarth.

Bydde unrhyw un sy'n cofio rhaglenni safonol materion cyfoes, o *Newsnight* i *Sixty Minutes*, yn gwingo o weld y ffordd yr oedd *Best Enterprise* yn cael ei gwneud. Yn gynta roedd gennych chi'r ffaith syml fod y cynhyrchwyr yn defnyddio twyll i gael y gwesteion i'r stiwdio, ac yna roedd yr heddlu a'r newyddiadurwyr yn cydweithio mor glòs – yn wahanol iawn i Oes Aur y math yma o raglenni. Ond sioe oedd hon, nid rhaglen.

Yn gynta roedd y stiwdio ei hunan yn edrych fel set ar gyfer rhaglen sioe sgwrsio, gyda soffas moethus mewn lliwiau cyfoes a chynulleidfa oedd wedi cael orig fach bleserus yn mwynhau coctels cryf am ddim yn y bar.

Yn ail roedd 'na gomedïwr a chwpwl o fandiau ar y bil hefyd. Wedyn, mewn slot oedd yn adlais o'r cocyn hitio ar raglenni erstalwm, roedd y prif gyfweliad yn cael ei frechdanu rhwng y rhialtwch.

Byddai'n rhaid cymharu'r band cynta (rap cignoeth ond clyfar) gyda The Coup, tra bod yr ail un, Cwrcyn, yn rhan o'r adfywiad syfrdanol mewn canu traddodiadol. Ar eu holau, roedd 'na gomedïwr tebyg i Chubby Brown, oedd yn meddwl bod rhegi'n ddi-baid yn ddoniolwch pur.

Yna daeth yn amser i Strimmer ymddangos, ar ôl sgwrs ddigon pleserus gyda'r fenyw coluro. Lucrezia. Roedd y cynhyrchydd wedi dysgu sut i ddodi'r powdwr mlaen er mwyn cael cyfle i siarad 'da'r gwesteion jyst cyn y rhaglen ac asesu sut bydden nhw'n ymateb i'r profiad. Os oedd pethau'n debygol o fynd yn ffradach, mi allai'r bownsars sorto pethau mas.

– Hoelia fe, meddai Lucrezia mewn i'r meicroffon yn yr oriel gymysgu.

Roedd hi'n gwybod bod y ffilmiau cudd oedd ganddyn nhw yn rhai godidog a gwaedlyd, â lluniau safonol o Strimmer yn blingo llygod mawr a'u gwisgo mewn marinêd. Roedd ganddyn nhw ddeunydd arall hefyd, yn ei ddangos e'n dal gwiwerod mewn coedwig y tu allan i Ynys-y-bŵl. Byddai angen rhybudd ar y sgrin cyn darlledu'r delweddau ohono'n lladd y creaduriaid.

Wrth i Strimmer gerdded ymlaen i gymeradwyaeth frwd, roedd Zammy Starstruck yn cyflwyno gweddill ei westeion, gan gynnwys cogydd gwallgo yn y gegin. Wnaeth Zammy ddim esbonio'n union beth oedd e'n ei wneud yno, ond dyma'r dyn yn yr het wen yn dechrau paratoi cebabs, ac yn cario mlaen i wneud hynny tra oedd Zammy a Strimmer yn dechrau ar eu sgwrs.

– Mae'n bosib eich disgrifio fel dyn busnes hynod

lwyddiannus ac un sydd wedi datblygu ei gwmni yn gyflym iawn, a hynny heb hyd yn oed gofrestru'r cwmni yn swyddogol . . .

Magl o eiriau. Sylweddolodd Strimmer ar unwaith fod 'na rywbeth mawr o'i le achos roedd y gerddoriaeth wedi newid a'r set gyfan nawr bron yn ddu a gwyn, fel un o ffilmiau Alfred Hitchcock. Dramatig ar y naw.

– Oherwydd rydyn ni wedi bod yn Nhŷ'r Cwmnïau a does dim cofnod o unrhyw gwmni gyda'r enw Taste Bud Teasing, nac ychwaith unrhyw gwmni â'ch enw chi fel cyfarwyddwr. Beth sy 'da chi i'w ddweud?

Teimlai Strimmer y chwys yn golchi'r powdwr oddi ar ei dalcen ac i mewn i'w aeliau.

– Ydych chi'n teimlo'n anghysurus braidd? Achos ma' 'na fwy i ddod . . . Lot, lot mwy!

Ac yna fe ddangoson nhw'r ffilm o Strimmer yn paratoi gwledd Dydd Gŵyl Dewi i Ysgol Tre-goed, yn ei uned ar y stad. Neidiodd un llygoden anferthol o fawr yn rhydd o'r cwd a'i thaflu ei hun o gwmpas y stafell ac yna gwelwyd Strimmer yn tasgu ar ei hôl gyda holltwr enfawr yn ei law. Roedd yr olygfa fel rhywbeth o ffilm gomedi, nes i'r chwerthin gael ei ddisodli gan arswyd y delweddau dychrynllyd wrth i Strimmer waredu'r anifail yn ei dymer wyllt. Roedd y corff o faint bobgath, llygoden a hanner.

Doedd Strimmer ddim yn gwybod beth i'w wneud, yn enwedig pan ddechreuodd y band chwarae 'Rat Trap' gan y Boomtown Rats, a'r gynulleidfa i gyd yn ymuno yn y byrdwn 'It's a rat trap, honey, and you've been caught . . . '

Tra bod hyn yn digwydd mae'r camerâu yn symud i ganolbwyntio ar y cogydd sydd newydd orffen rhoi bwyd ar blât. Mae actor wedi gwisgo lan fel bwtler yn dod draw a chynnig rhywfaint ohono i Strimmer, sy'n dechrau gwelwi.

– Gymrwch chi fymryn o ddŵr byrlymog er mwyn glanhau taflod y genau? gofynnodd Zammy Starstruck, gan wenu i mewn i'r camera. Mae ein *chef* ni wedi ceisio ail-greu un o'ch hoff ryseitiau. Mae e wedi defnyddio yr un cynhwysion yn union ac rown i'n meddwl y byddai'n ddifyr gofyn i chi ddisgrifio blas ac ansawdd y bwyd i ni.

Gafaelodd Strimmer mewn llwy a chodi'r llond ceg cynta at ei wefusau. Gwyddai taw dyma'r bwyd roedd wedi'i baratoi ar gyfer y plant ysgol druan, gan ddefnyddio garam masala i guddio blas y cig 'di gondemnio ddaeth o sgip yn iard y Cyngor. Cig gwyrdd a phorffor. Doedd e ddim yn medru wynebu, ddim yn medru stumogi'r treial a dyma Strimmer yn codi ar ei draed yn teimlo'n sâl ac yna chwydu'n ffrwydrol dros Zammy, Lucrezia'n chwerthin yn wyllt yn y bwth a'r gynulleidfa'n morio chwerthin. Yn wir, roedden nhw'n chwerthin mor uchel nes ei bod yn amlwg y gallai Strimmer gael maddeuant ganddyn nhw yn y bleidlais.

Ac wrth i bethau ddechrau setlo i lawr dyma Zammy'n clywed llais Lucrezia yn ei glust yn dweud wrtho fod angen dangos fflach newyddion am y Fenyw-Sy'n-Cysgu. Mae Zammy'n esbonio hynny wrth y gynulleidfa, sy'n mynd yn hollol dawel wrth i bawb droi i edrych ar y sgrin. Daw llun o gwch papur lan ar y sgrin fawr o'u blaenau, lle mae yna hefyd ddelwedd o ddyn ifanc yn yr

177

Ariannin yn ateb cwestiynau ac yna lun du a gwyn o hen fenyw yn dawnsio. Nid bod yna esboniad ynglŷn â sut y digwyddodd y wyrth ond mae cyfieithiad o eiriau'r bachgen yn dweud rhywbeth am gariad llwyr ac mae'r sylwebydd yn dweud ei bod hi'n dda fod hyn yn digwydd heddiw ar ddiwrnod pan mae Cymru'n derbyn Marinara fel crefydd swyddogol ac y gall crefydd sy'n clodfori cariad, ac yn dathlu'r berthynas rhwng dyn a menyw, oroesi.

Mae'r gynulleidfa – yn eu syfrdan, gan fod yma ateb o ryw fath i ddirgelwch Marina – yn edrych ar y delweddau am amser hir, gyda theimlad bodlon yn eu boliau, fel rhywun sydd newydd orffen stori dditectif ac wedi methu darogan y diweddglo cyn bod yr awdur yn datgelu pob peth.

Wrth i bawb adael y stiwdio a'r goleuadau'n diffodd mi wnaeth Lucrezia a Zammy gynnig prynu drinc i Strimmer i ddiolch iddo am ei gyfraniad. Roedd y tri'n gwybod bod rhywbeth mawr wedi newid ym mywydau pob un ohonynt, heb wybod yn union beth. Mai cariad, nid cyfalaf, oedd y peth pwysig. A bod cariad hen ŵr wedi cadw cwch bach yn saff ar y moroedd mawr.

Yn y bar gwenodd Strimmer ar y cwpwl fu'n ei boenydio o flaen y genedl. Maddeuodd iddynt wrth i wres pleserus dwymo'i fol a hynny cyn iddo ddechrau yfed. Edrychodd Lucrezia i fyw llygaid ei chyflwynydd. Gwenodd yntau, mewn bar lle roedd pawb yn gwenu. Fel tase pawb wedi cael 'chydig o fwg drwg Poppaline Divotts, pawb wedi bod ar hewl Damascus.

Ar bob teledu yn y wlad roedd 'na luniau o hen gwpwl yn dawnsio mewn neuaddau tango llawn, a rhywbeth yn

178

eu llygaid oedd yn awgrymu ei bod yn fwriad ganddynt
ddawnsio am byth.

Nodwch eiriau'r hen gân – yr un oedd yn meddwl y
byd iddyn nhw . . .

> *Una lágrima tuya*
> *que moja el alma*
> *mientras rueda la luna*
> *por la montaña.*
> *Yo no sé si has llorado*
> *sobre un pañuelo*
> *nombrándome,*
> *nombrándome,*
> *con desconsuelo.*
>
> Deigryn o'th lygaid
> sy'n llaith â thristwch f'enaid
> wrth i'r lloer dreiglo
> dros y mynydd.
> Wn i ddim a fuost yn llefain
> i'th hances
> gan ddweud fy enw
> gan ddweud fy enw i
> yn dy dristwch . . .

Ac yn yr hen luniau ffilm du a gwyn sydd ar bob bwletin
newyddion, mae'r hen bâr yn cadw amser, fel metronom,
eu dawsio'n urddasol, eu hwynebau ar dân gyda chariad.

*

179

Mae pob stori yn stori serch, meddai rhywun unwaith yn rhywle. A phan y'ch chi'n darllen eich llyfr nesa fe welwch fod hynny'n wir. Sy'n gwneud pethau'n haws, yn fwy clir, achos mae'r byd yn gymhleth ac mae angen ambell lun i'w storio'n agos at y galon, achos bydd oerni'r gaea'n dod yn sydyn ddigon.

Dros y ddinas heno mae'r machlud yn danjerîn a rhubanau lliw grawnwin Sauvignon yn nadreddu drwy funudau ola'r dydd. Machlud hydrefol ond un sy'n llawn o'r hen ogoniannau – golau ac amser a lliw – un y mae Gethin a Strimmer a Lucrezia yn ei fwynhau drwy ffenestri Bar Cwtsh. Sy'n llawn sgyrsiau bach di-ddim y byd profinsial, a chyfrifwyr yn meddwi oherwydd nad ydyn nhw'n medru meddwl, a chyfreithwyr yn ceisio cael siag ond yn methu oherwydd bod y merched o Wattstown a'r Porth yn fwy clyfar 'na nhw. Yn wir, mae'r ymlusgiaid ym Mharc y Rhath yn fwy clyfar na'r blydi brogaod cyfreithlawn yma, gyda'u ffyrdd hunanbwysig a'u cardiau AmEX llawn dop.

Yn yr hen Lido a gafodd ei addasu'n glwb nos, mae'r diafol yn dawnsio mewn neuadd lle daeth miloedd o barau at ei gilydd dros y blynyddoedd. Ond adfail yw'r lle bellach a dim ond y canhwyllau y mae Lucifer wedi'u tanio â'i anadl ei hun sy'n rhoi unrhyw olau. A dawnsio ar ei ben ei hun y mae e. Mae'n drewi gormod i fod yn gymar da.

Ac yn rhywle mae'r hen gwpwl yn dawnsio i gyfeiliant hen gân . . .

Pob stori, wir i chi, yn stori serch. Dim mwy, dim llai.

Mae dŵr y bae yn lliw mandarin heno, a'r golau'n

herio'r gwyll, sy'n sleifio i mewn o'r dwyrain fel lleidr gyda'i sach. Gwylanod cefnddu yn clwydo yng nghronfa ddŵr Llysfaen a setlo'n swnllyd ar ddyfroedd Parc y Rhath.

Oherwydd i'r ddinas golli cysylltiad â'r môr, roedd y llongau mawrion bellach yn hwylio o Aberdaugleddau. Yno y bydd y fenyw yn cyrraedd yn ei thro, ar ôl Minsk a Bremen a Stockholm a Cadiz. Mae hi ar y ffordd.

Yng Nghaerdydd, wrth ymyl y Senedd, codwyd teml ysblennydd i'w chroesawu, o farmor du unigryw ddaeth o ynysig folcanig ger arfordir Sardinia. Teml syml o ran pensaernïaeth ond anhygoel o weld y rhesi sy'n ciwio i'w gweld. Roedd gweision sifil y Cynulliad wedi bod yn gwneud syms, yn darogan faint o bobl fyddai'n dod i weld Marina. Hyd at hanner miliwn ar ddiwrnod o aeaf a dwywaith hynny yn yr haf. Byddai nifer o bobl yn dod o dir mawr Ewrop ac yn aros yn y ddinas am byth, fel yn yr hen ddyddiau, pan oedd y morwyr megis yn llongddryllio yma . . .

Yn ôl y proffwydo ystadegol, byddai pob llong a ddaethai i Sir Benfro yn cludo ugain mil o bobl ar y tro ac wrth iddynt fynd heibio Ynys Gwales, gyda'i chwyrlwynt o huganod yn ddu a gwyn fel conffeti o bapur dyddiol, byddai nifer eisoes yn gwybod na fyddent yn dychwelyd i'w gwledydd eu hunain. Pobl oedd yn dymuno gwneud dim byd mwy na bod gyda hi a gweithio er ei lles a lledaenu'r newyddion da. O'r môr y daethom oll. Mae ein dagrau'n hallt fel dŵr y tonnau. Mae hi ar y ffordd! Mae hi'n dŵad maes o law. Ond ddim cweit 'to.

181

Sgleinia'r haul-ar-ei-ffordd-i'r-gwely drwy ffenestr y Travelodge ger y draffordd yng Nghroes Cwrlwys lle mae Poppaline Divotts yn cyfri'r blew ar gefn y trafaeliwr gwerthu sgidiau rhad, oherwydd ei bod yn methu cysgu. Mae e wedi rhoi wyth pâr o sgidiau lledr gan gynllunydd Eidalaidd (wedi'u gwneud yn Guangaong) iddi yn barod ac yn addo mwy, ambell bâr mewn seis sy'n ffitio'n dda.

Yn ei meddwl mae hi'n cofio sut yr oedd Marky yn gwneud iddi chwerthin, yn enwedig pan fyddai'n gwneud y tric 'na 'da Sambucca, gan ddodi llond ceg o'r gwirod ar dân, a gwenu arni, er gwaetha'r peryg, a'i ddannedd yn wyn fel calch yn y fflamau glas.

Wyth deg tri, wyth deg pedwar, wyth deg pump, wyth deg chwech . . .

Diflanna'r haul o Rover Way a Stryd Trehwfa, Sandmans Close a Sun Street hyd yn oed, wrth i bob cysgod ymestyn er mwyn creu cwilt i'r nos.

Saith mil o filltiroedd i ffwrdd, yn ei chell ddiaddurn mae'r lleian unig yn clywed cnoc ar y drws, yn dawel ond yn daer.

– Pwy sy' 'na? gofynna, mewn llais llawn cwsg.

– Duw, medd y llais tu allan, llais sy'n debyg iawn i'r garddwr y bu'n ei weld wrth ei waith bob yn eilddydd ers blynyddoedd.

Mae hi'n oedi yn hir iawn cyn ateb.

Fel y mae Esmerelda, pan fydd Manuelito yn gofyn iddi ei briodi: yntau ar ei liniau yn Tres Estrellas â rhosyn gwyn yn ei geg. Wrth iddo godi'n ôl i'w gadair mae hi'n sylwi eto ar y ffordd mae ei gorff yn symud, y cyhyrau'n crychu'n hawdd a phwerus. Yn symud fel cath – jagiwar neu lewpart. Mae hi'n cofio'i lysenw, El Gato, ac yn cofio, wrth i'w lygaid eiddgar befrio tuag ati, mai anifail yw pob dyn yn y bôn.

Ym Malibu mae un o sêr Hollywood yn rhoi cusan egnïol i'w wraig gan wybod y byddai un llun o'r weithred yn werth pum miliwn o ddoleri i gylchgrawn megis *People* neu *Hello*. Gyda hynny, mae'n rhoi gwerth ugain miliwn o gusanau iddi, ac mae hithau'n cau ei llygaid gyda phleser.

Yng Nghaerdydd heno bydd 'na ddeunaw mil, wyth cant ac wyth o gusanau, gan gynnwys tair sy'n arbennig o hir a nwydus, rhwng cyflwynydd teledu a'i gynhyrchydd.

Bydd y Diafol a'i wefusau crasboeth yn ei gusanu ei hunan yn y drych, cyn mynd ati i dorri ei aeliau, sy'n tyfu'n rhy wyllt ac yn gwneud iddo edrych yn od.

Ac ar fwrdd llong hefyd . . .

Dau aelod o'r Berets Pinc – un gŵr ifanc, Jim Martinez o Pensacola, Fflorida, ac un arall, Dwayne Michael Carter o Bodega Bay, Califfornia – yn rhwbio bochau ac yna'n gosod ceg ar geg, fel tynnu anadl. Maen nhw'n nerfus, wrth gwrs. Nid yn unig oherwydd antur y weithred a'r hyn allai ddilyn ond oherwydd eu bod yn gwarchod y Fenyw-Sy'n-Cysgu, ar ei hirdaith olaf. Ac wrth i Jim edrych dros ysgwydd Dwayne, mae'n siŵr fod yr hen fenyw wedi wincio arno. Yn wir, mae'n gwbl sicr ei bod hi wedi wincio ddwywaith, hyd yn oed wrth i law Dwayne ddechrau anwesu ei ben-ôl drwy'r brethyn trwchus milwrol.

Yn Buenos Aires bydd Jaime yn cusanu'r fenyw ddela yn ne America, ei gwallt du yn rhaeadru o gwmpas ei hysgwyddau perffaith.

Hen wragedd, cariadon nwydus, priodfeibion, priodferched, puteiniaid a'u clientiaid, arwyr, lleianod, garddwyr, llysgenhadon, morwyr, milwyr, addolwyr, prentisiaid, gwyddonwyr. Un yn closio at rywun arall, yn dal yn dynn, yn teimlo'u gwres dynol.

Enw, *ka, ba*, calon, cysgod.

Ar bob cyfandir, cusanau.

Diolchiadau a Chydnabyddiaethau

Carwn ddechrau drwy ddiolch o waelod calon i Siân Owen ym Marian-glas am olygu'r gyfrol gyda brwdfrydedd, llygaid barcud a sensitifrwydd darllenydd da. Braf oedd cael ei barn a phleser digamsyniol oedd cydweithio â hi. Gobeithiaf y bydd modd i ni gydweithio eto yn y dyfodol, os bydd hi'n medru wynebu'r fath orchwyl!

Diolch hefyd i Mairwen Prys Jones yng Ngwasg Gomer am ei chefnogaeth arferol wrth baratoi fy mhumed gyfrol i'r wasg ac i Peter Florence yng Ngŵyl y Gelli am y cyfle i lansio'r llyfr yno, yn un o'm hoff ddigwyddiadau ar y calendr, ynghanol ffrindiau bore oes sy'n caru darllen.

Diolch hefyd i Bethan Mair am ei chefnogaeth yn nyddiau cynnar y gwaith ac am ei syniad ar gyfer y clawr, wedi'i ysbrydoli gan ffotograffiaeth Idris Khan.

Mawr yw fy nyled i feirniaid cystadleuaeth y Fedal Ryddiaith yn Eisteddfod Genedlaethol Caerdydd a'r Cylch am eu sylwadau hael a chefnogol pan fethais ag ennill yn 2008. Peth da, yn ddi-os.

Darllenodd Iolo ap Dafydd a Tomos Morgan fersiynau cynnar o ambell bennod gan gynnig sylwadau pendant a defnyddiol. Maen nhw'n ffrindiau da.

Mae pobl eraill hefyd wedi bod yn ffyddiog ynof ac wedi rhoi eu cefnogaeth mewn gwahanol ffyrdd. Carwn ddiolch i Manon Rhys ac Elan Closs Stephens a ddywedodd bethau positif pan oedd angen positifrwydd arna i. Rhosod coch, perffaith iddyn nhw.

Diolch yn fawr iawn hefyd i Marian Beech Hughes yn y Cyngor Llyfrau am sylwadau, awgrymiadau a chywiriadau defnyddiol a deallus.

Am ei ganiatâd i ddefnyddio geiriau tango, diolchaf i Alberto Paz. Mae ganddo wefan odidog ar gyfer unrhyw un sy'n ymddiddori yn emosiwn, angerdd a dyfnder y tango: www.planet-tango.com/letras.htm. Defnyddiwyd darnau bach o'r caneuon canlynol: 'A Media Luz' gan Edgardo Donato a Carlos Cesar Lenzi, 'En Esta Tarde Gris' gan Mariano Mores a Jose Maria Contursi a 'Pasional' gan Jorge Caldara a Mario Soto. *Muchas gracias.*

Bûm yn ddigon ffodus i deithio o gwmpas yr Ariannin dan nawdd y Cyngor Prydeinig – cyfle arbennig i dreulio amser gwych yng nghwmni ysgrifenwyr o'r Ariannin a'r Deyrnas Unedig. Y trip oedd man cychwyn y llyfr ac mae unrhyw frwdfrydedd sydd yn y sgrifennu yn adlewyrchu cymaint wnes i fwynhau bod yno.

Ffynhonnell bwysig ar gyfer y bennod gyntaf oedd *Buenos Aires: A Cultural History* gan Jason Wilson, yn enwedig ei gasgliad o ddisgrifiadau o afon Plata.

Ac yn olaf, diolch i Sarah, fy ngwraig ffâb ac i Elena, fy nhywysoges fach, am eu hamynedd wrth imi ddiflannu o bryd i'w gilydd i gwpla'r llyfr. Daw Sarah o Oakland, Callffornia. 'Sdim rhyfedd, felly, 'mod i wedi dod i nabod y ddinas yn ddigon da i leoli darn o *Dala'r Llanw* yno.